O wróbelku
Elemelku

HANNA ŁOCHOCKA

O wróbelku Elemelku

Ilustrował
ZDZISŁAW WITWICKI

NASZA KSIĘGARNIA

Projekt okładki **Zenon Porada**

O wróbelku Elemelku

Jak wróbelek Elemelek
w szkole uczył się literek

Rzekł wróbelek Elemelek:

— Chcę nauczyć się literek. Jakże to? Analfabeta? Niepiśmienny? Oho, gdzie tam! To już wolę, choć w mozole, siedzieć w szkole w uczniów kole i od jutra, wiedzcie o tym, zabieram się do roboty.

Właśnie sowa wraz z dzięciołem założyli w lesie szkołę, i to nawet niedaleko, na pagórku, tuż za rzeką. Po cóż się namyślać wiele? Umył dziobek Elemelek, przetarł oczy, strzepnął piórka i frrr! Ot — za rzeką górka.

Rzekł dyrektor, stary dzięcioł:

— Przyjąć cię do szkoły? Z chęcią! Dziobek czysty masz, wróblasku, oczka bystre, pełne blasku, byleś pilny był, wytrwały, będziesz uczniem doskonałym.

W szkole uczy pani sowa. Mądra głowa, ani słowa! Okulary ma na dziobie i pazurkiem ostrym skrobie różnych liter piękne wzory na tablicy z ciemnej kory.

Rzekła ptaszkom:

— Miłe ptaszki! Tu nauka, nie igraszki. Myśleć trzeba mądrze, bystrze. A przynieście też w tornistrze listki gładkie i zielone, pióro ładnie zaostrzone i atrament jagodowy. Pewnie macie już gotowy?

Pierwsza lekcja poszła składnie. Druga lekcja — jeszcze ładniej. Piszą ptaszki, jak kto może, ten na liściu, ten na korze. „A" litera ma dwie nóżki. „B" litera ma dwa brzuszki. „C" litera, niby wężyk, zakręciła się w półksiężyc.

Powiedziała pani sówka:

— W poniedziałek jest klasówka. Proszę listek przynieść świeży i powtórzyć jak należy trzy litery: „A", „B" i „C", bo zabiorę wam tablicę i z pamięci pisać każę tę literkę, którą wskażę.

A B C

Chciał powtarzać Elemelek trzy litery przez niedzielę. Ale tak się jakoś stało, że miał czasu bardzo mało. Bo to gołąb wpadł z wizytą, opowiadał tamto i to, potem myszka jedna mała przebiegała, coś dodała. Tu dwa słówka, tam trzy słówka, wywiązała się rozmówka i wróbelek, przyznam z żalem, nie powtórzył liter wcale.

Rano — ósma jest godzina, lekcja zaraz się zaczyna. Pan dyrektor w samą porę osiem razy kuje w korę.

Siedzą ptaszki, kręcą główką, drżą im serca przed klasówką, czarne oczka patrzą w sowę.

Rzekła sowa:

— Czy gotowe? Tak? Więc cisza, ani słowa. Proszę

ładnie narysować „B” literkę, lecz z pamięci. Nie oglądać się, nie kręcić.

Elemelek skrzydłem skrobie głowę. Ot, dogodził sobie! „B” litery, proszę pani, nie pamięta ani–ani. Czy jest długa? Czy okrągła? Czy wydęta? Czy pociągła? „B” literka? Ani mowy! Wyleciała całkiem z głowy.

Elemelek koło dudka siedzi, a że gałąź krótka, więc wróbelek, trudna rada, zerka bokiem do sąsiada.

Dudek stawia kreski grube. Ma na czubku głowy czubek, czubkiem trzęsie, dziób otwiera, pisze. Jest już „B” litera. Elemelek na swym listku w ślad za dudkiem pisze wszystko: brzuszek jeden, drugi, trzeci...

Dzięcioł puka: — Kończcie, dzieci!

Liście gładkie i zielone już przed sową rozłożone. Sprawdza sowa, stopnie stawia, tu pochwali, tam poprawia.

Piątkę dała sikoreczce, dwóm gołąbkom po czwóreczce, a jaskółka z żółtą wilgą trójkę plus dostały tylko. Trochę to zmartwiło sójkę, że z minusem miała trójkę, a już stopnie całkiem chude z Elemelkiem dostał dudek.

— Spójrzcie, dudek wraz z wróbelkiem porobili błędy wielkie. Jakże to, powiedzcie sami, pisać „B" z trzema brzuszkami? Skąd i kiedy, moje dzieci, wyrósł nagle brzuszek trzeci? Oto są lenistwa skutki: w pierwszej ławce — aż dwa dudki!

Aj, najadł się wstydu wiele ten wróbelek Elemelek! Chyba skusił go zły duszek, by od dudka ściągnąć brzuszek? Więc rzekł:

— Odtąd, pani sowo, będę zawsze, daję słowo, wiedzieć, ile kto ma brzuszków. Nie chcę siedzieć wśród leniuszków!

Jak wróbelek Elemelek leśną dróżką szedł w niedzielę

Leśna dróżka już od rana jest ogromnie uczęszczana. Gdzie popatrzeć, z każdej strony ruch panuje ożywiony.

Biegną sarny i wiewiórki, zając chyżo zbiega z górki, przelatują ptaków stada, lisek się ostrożnie skrada, nawet jeż i dwa ślimaki powolutku suną w krzaki. Ten na tego z nagła wpada, poszturchuje ów sąsiada... Źle się dzieje — ani słowa! Trzeba ruch uregulować.

Więc milicjant już na drodze na czerwonej stoi nodze: długie skrzydła czarno–białe to wskazówki doskonałe. Gdy rozłoży je w tę stronę — przejście dróżką dozwolone, gdy zaś w tamtą — to przechodzień w poprzek ścieżki może chodzić.

A wróbelek Elemelek do swej cioci szedł w niedzielę, skacząc sobie fiku–miku leśną dróżką, po chodniku. Zamyślony, zagapiony, w górę patrzy gdzieś na wrony, idzie prędko, nie uważa, nie wie, na co się naraża.

Bo gdy był w połowie drogi, rzekł milicjant — bocian srogi:

— Czyżby przestał już wróbelek leśnym być obywatelem? Czy przepisy i wskazówki wyleciały mu już z główki? Muszę zrobić ci wymówkę: byłbyś oto zdeptał mrówkę, bo przez dróżkę, tę brzozową, szedłeś dziś nieprawidłowo. Trzeba spisać tu protokół!

Elemelek spojrzał wokół czarnym okiem jak ze szkiełka i załamał swe skrzydełka.

— Już się złego cofnąć nie da. Ot i kłopot! Bieda, bieda!

A tymczasem bocian stary wsunął na dziób okulary, spojrzał bystro i na listku zapisuje sobie wszystko.

— Imię pana?

— Elemelek.

— Jaki zawód?

— No... wróbelek.

— Imię ojca?

— Świszczypałek.

— Imię dziadka?

— ... Zapomniałem...

— Gdzie pan mieszka?

— Tam na lewo, trzecia dróżka, czwarte drzewo.

— A gdzie pan jest urodzony?

— W porzuconym gnieździe wrony.

— Niech wróbelek więc pamięta, że w powszedni

dzień czy w święta muszą wszyscy, nawet ptaki, na drogowe zważać znaki. Każdy napis, sygnał każdy jest potrzebny, a więc ważny, i nie można jak ta gapa po ulicy sobie człapać. Ten bukowy listek czarny to dla pana mandat karny. Leśna kara dziś wyniesie...

— Oj, czy dużo?

— ... groszy dziesięć.

Elemelek pod skrzydłami miał torebkę z grosikami. Więc zapłacił, schylił główkę i przeprosił grzecznie mrówkę, mówiąc przy tym do bociana:

— Będę odtąd, proszę pana, prawidłowo szedł przez drogę. Zapamiętam tę przestrogę.

Zdaje mi się, że po lesie ta przygoda się rozniesie. Elemelek aż się spocił i spocony szedł do cioci.

Jak wróbelek Elemelek był proszony na wesele

Do wróbelka Elemelka przyszła kartka raz niewielka:

W tę niedzielę na wesele proszę.
Będzie gości wiele,
tańce, śpiew, jedzenie, picie.
Więc prosimy o przybycie
punktualnie o dwunastej:
pierwszy lasek tuż za miastem,
siódma sosna, druga dziupla.
Z poważaniem
Hupla–Hupla

Trzepnął skrzydłem Elemelek.
— Toż to sowie jest wesele! Pani sowa, jak się zdaje, za mąż córkę już wydaje. Pewnie będą gości tłumy. Trzeba chyba łapy umyć?...
Już od rana więc w niedzielę mył się pięknie Elemelek. Chce czy nie chce, trudno — musi. Wziął od wujka kapelusik i krawacik niby maczek, a od babci ciemny fraczek, który bardzo go wyszczuplił — i do dziupli Hupli–Hupli spieszy.
Droga niezbyt długa: siódma sosna, dziupla druga.
Mała sówka, panna młoda, wdzięcznie prosi:
— Jest tu woda z rannej rosy i miód pszczeli, i potrawka w sosie trzmielim.
Z drugiej strony narzeczony niesie placek upieczony z much, komarów i szerszeni — a pięknie się przyrumienił! Są tam szyszki i okruszki, w galarecie musze nóżki, jagodowy jest kisielek i przysmaków innych wiele.

Niedaleko Elemelka stoi słodki sok w butelkach. Gości wiele: z tym przepije, z tym zaśpiewa: „niech nam żyje!", z tym kisielku podje troszkę, z tym przełamie się pierożkiem, z tamtym zje komarze sadło... Oj, podjadło się, podjadło!

A tu śpiewy i muzyka: ktoś tam ćwierka, ktoś tam bzyka, ktoś wyciąga piękne trele...

— Tańczmy! — woła Elemelek.

Tańczy sowa z wiewióreczką — raz w kółeczko, raz w kółeczko! Tańczy sówka z narzeczonym — z lewej strony, z prawej strony! Chce też tańczyć Elemelek, lecz — cóż tu ukrywać wiele — z przejedzenia, z popijania brzuszek ciąży mu jak bania. Ciążą skrzydła, boli głowa. Co też na to powie sowa? Pot oblewa nieboraczka.

— Ani nawet dopiąć fraczka! Bo też mi się, przyznać muszę, niby balon wydął brzuszek...

Taki taniec — ciężka praca. Skoczy — to się wnet przewraca. Ruszy w lewo — oj, nie może! Ruszy w prawo — jeszcze gorzej! Nóg rozróżnić niepodobna, każda pęta się z osobna. Która prawa? Która lewa? Aż na ziemię zleciał z drzewa.

Goście biorą się pod boki.

— Hi–hi–hi! Cóż to za skoki? Spójrzcie tylko, przyjaciele, jak dziś tańczy Elemelek! Czy to tancerz, czy niezgraba? Czy to wróbel, czy to żaba? Zasapany, ciężki, zgrzany — toż to ptaszek ołowiany!

Żartów, uwag, kpin niemało wróbelkowi się dostało. Że w jedzeniu przebrał miarę, słuszną za to poniósł karę. Więc przeprosił Huplę–Huplę i opuścił sowią dziuplę.

— Gdy w gościnę na wesele pójdę — będę jadł niewiele. Bo to tylko łakomczuszki opychają sobie brzuszki. Połknę ziarna dwa niewielkie, miodu łyknę też kropelkę, no, najwyżej ze dwie muchy spałaszuję w cieście kruchym...

Jak wróbelek na wycieczkę z myszką wybrał się nad rzeczkę

Raz wróbelek Elemelek myszce Kiki rzekł:

— W niedzielę na wycieczkę jechać trzeba. Słońce do nas mruga z nieba. Ja na plaży dziób opalę, ty — ogonek.

— Doskonale! — mówi myszka. — Zabrać muszę zasuszonych parę muszek, skórkę sera (przysmak myszek), by nam głód nie skręcał kiszek.

Pozbierali więc specjały, napełnili plecak cały i nazajutrz z rannym słonkiem, wznosząc złoty kurz ogonkiem, biegną dróżką — czyli raczej biegnie myszka, wróblik skacze.

Oto rzeczka, a nad rzeczką rozłożyło się słoneczko i ogony wnet opali.

— Elemelku, patrz: na fali coś kołysze się leciutko. Co to?

— Łódka! Jedźmy łódką! Kawał kory, taki duży, może nam za łódkę służyć!

Właśnie fala korę zniosła na brzeg. Dobrze więc się składa. Z dwóch patyków będą wiosła. Wsiada myszka, bardzo rada, i z wróbelkiem zatykają piękny żagiel z liści młodych, aż go ryby podziwiają, wysunąwszy pyszczki z wody.

Uśmiechnięta myszka Kiki bierze w łapkę dwa patyki i wiosłuje. Elemelka też ochota wzięła wielka, aby sportu popróbować. A więc dalejże wiosłować w jedną, potem w drugą stronę, to skrzydełkiem, to ogonem.

Wiatr zielone wydął żagle, woda lśni... i nagle, nagle — spójrzcie: uciekł brzeg daleko, łódka wartko płynie rzeką, a choć rzeczka niezbyt wielka, strach zdjął myszkę i wróbelka, zimny pot im czoła zrosił...

— Ach, wracajmy! — myszka prosi i wiosłami z lewa, z prawa klepie wodę. Trudna sprawa! Nie pomogą mysie wiosła, kiedy woda łódź poniosła!

Umie fruwać Elemelek, lecz się nie zda to na wiele. Bo czyż mu zostawić wolno biedną małą myszkę polną?

Już trzy łapy i ogonek opryskane, zamoczone, a tą czwartą łapką suchą biedna myszka skrobie ucho cienko piszcząc, bo co chwila łódka na bok się przechyla.

Więc wróbelek dookoła krąży i płaczliwie woła, pełen strachu i frasunku:

— S O S ! Ćwir, ćwir! Ratunku! Gdzie jest wodne pogotowie?...

Poruszyło się sitowie, rzekł głos gruby:

— Kwaki, kwaki! A cóż to tam za wrzask taki?

I zielony kaczor duży z wodorostów się wynurzył.

— Ach, kaczorze, mój kaczorze, niech nam kaczor dopomoże! Myszka płynie tam na korze i, niebożę, spaść z niej może!...

Kaczor lśniącą pierś napuszył, kłapnął dziobem, nogą ruszył, trzepnął skrzydłem w bok — i wkrótce znalazł się przy samej łódce, gdzie już Kiki, myszka mała, z trwogi na wpół omdlewała.

A na grzbiecie kaczorowi ptaszek wnet się usadowił. Kaczor popchnął łódkę dziobem ku brzegowi. Tym sposobem myszka jedzie na swej korze, Elemelek — na kaczorze.

Jeszcze chwila, jeszcze chwila — i brzeg zbawczy się wychyla. Jaskółeczki, co szeregiem gniazda mają tuż nad brzegiem, dały myszce wyczerpanej pół skorupki waleriany, a wróbelek Elemelek także dostał pięć kropelek.

Kiki skarży się cichutko:

— Trudno myszkom jeździć łódką... Choć wróciły mi już siły, mam w ogonku dreszcz niemiły! Dla wzmocnienia teraz muszę zjeść trzy ziarna lub okruszek. I uplotę dziś z wieczora szalik z trawy dla kaczora, bo odwdzięczyć się wypada, że trud sobie dla mnie zadał.

O wróbelku Elemelku, o ziemniaku i bąbelku

Raz wróbelek Elemelek znalazł w polu kartofelek. Nie za duży, nie za mały, do jedzenia doskonały. Lecz ziemniaki na surowo jeść niemiło i niezdrowo. Znacznie lepsze będą one, gdy zostaną upieczone.

Skrzesał iskrę Elemelek, suche liście wokół ściele, dwie gałązki kładzie blisko i już pali się ognisko. A kartofel — czy czujecie? — tak prześlicznie pachnie przecież, tak kusząco się nadyma, że nie sposób wprost wytrzymać.

Nie wytrzymał Elemelek, chce wyciągnąć kartofelek, zjeść go szybko, prędzej, zaraz...

— Ajajaj!...

To ci ambaras!

Macha łapką Elemelek, a na łapce ma bąbelek.
Choć niewielki bąbeleczek, jednak boli, jednak piecze.

W lesie leśna jest apteka, Elemelek więc nie zwleka,
wznosi skrzydła, mówi: „Lecę" — i za chwilę jest w aptece.

A w aptece siedzi wrona, bardzo mądra i uczona.
W czystym, białym jest fartuchu, trąbkę trzyma tuż przy
uchu i przez trąbkę chętnie słucha, bowiem jest troze-
czkę głucha.

— Chciałbym maść na oparzenie...

— Hę? Coś dać na przeczyszczenie? Weź olejek ry-
cynowy, jutro brzuszek będzie zdrowy.

— Ach, nie brzuszek, wrono miła! Łapka mi się poparzyła i wyskoczył brzydki bąbel.

— Plombę? W ząbek włożyć plombę? Lecz cóż — choć mam leków trzysta, plombę musi dać dentysta.

Więc wróbelek — trudna rada — hyc! wskakuje na stół, siada i wyciąga wprost do wrony swój pazurek poparzony.

Obejrzała wrona palec z każdej strony doskonale, przyłożyła siemię lniane i kazała pić rumianek, bo to ziółko znakomite. Wypisała potem kwitek, grzecznie mówiąc:

— Bardzo proszę wpłacić w kasie cztery grosze.

Trzymał się ten bąbelisko chyba coś przez trzy dni blisko, lecz się w końcu zląkł okładów i gdzieś wyniósł się bez śladu.

Odtąd, jeśli Elemelek piecze sobie kartofelek, to cierpliwie z boku czeka, kiedy ziemniak się przypieka.

Kamizelka Elemelka

Chciał wróbelek Elemelek sprawić sobie kamizelę. Czemuż pióra wróbelkowe wcale nie są kolorowe? Inne ptaki się wystroją w jakąś barwną szatkę swoją, a wróbelek — ot, niebożę: chociaż chciałby, to nie może.

— Szary brzuszek mam i skrzydła. Już ta szarość mi obrzydła. Dosyć tego! Kupię nową kamizelkę kolorową i czy w święto, czy na co dzień w kamizeli będę chodził.

Udał się więc do krawcowej.

— Czy są jakieś wzory nowe na kubraczki, kamizelki?

— Owszem. Wybór mamy wielki. Jaki kolor?

— Ach, jaskrawy! Może coś w kolorze trawy? Albo też w ceglaste paski? Lub niebieskie, jak u kraski?

Materiałów było wiele, lecz grymasił Elemelek. Ten za blady, ten za bury, ów za ciemny, za ponury, tamten troszkę go postarzył, w tym znów jakoś nie do twarzy...

— Ot, pomyślę przez niedzielę, jaką sprawić kamizelę. Lub sąsiada spytam może, w jakim dobrze mi kolorze.

Więc sąsiady wnet do rady.

— Weź w kolorze czekolady — mówi dzięcioł — bo praktyczna, a w dodatku apetyczna.

Sroczka skrzeczy:

— W kratki! W paski! Zapinaną na zatrzaski!

— Także pomysł! — wrona powie. — Sroka zawsze pstro ma w głowie. Trzeba kupić śnieżnobiałą, by do śniegu pasowało.

A wiewiórka:

— Na jesieni modnie ubrać się w desenik. Może w ciapki? Może w koła?

— Elemelku! — jeż zawoła. — Pulowerek zamów sobie! Chcesz? Ja ci na kolcach zrobię.

Doradzały jeszcze szczury, by wziął serdak z mysiej skóry, a dodały też nawiasem, by się w pasie ścisnął pasem.

Biedny mały Elemelek! Na jednego — to za wiele! Siedzi smętny, osowiały, myśli, myśli przez dzień cały, bo też mu się, szczerze powiem, pomieszało wszystko w głowie: kraty modne są czy paski? Z paskiem czy też na zatrzaski? Pulowerek czy serdaczek?

— Ej, już chyba się rozpłaczę...

Aż we wtorek, gdy był w mieście, do spółdzielni trafił wreszcie. Patrzy — wiszą kamizelki zawieszone za pętelki. Skrzydełkami więc zamachał.

— Dłużej się nie będę wahał! Tę czerwoną, pierwszą w rzędzie wezmę. Elegancka będzie.

Piękną, nową kamizelę wdział wróbelek Elemelek, poprzygładzał w lustrze piórka i do lasu sobie furka.

Furka, furka, ale przecież coś go ściska, coś go gniecie, coś pod pachą go uwiera. Jakoś trudno latać teraz...

Spojrzy — siedzi na badylu gil. Więc mówi:

— Panie gilu! Powiedz, bom ciekawy wielce, jak się czujesz w kamizelce? Toż na panu jak ulana leży ona, proszę pana, a mnie, mówiąc między nami, troszkę ciśnie pod pachami.

Gil roześmiał się radośnie.

— A bo ona na mnie rośnie! Nie za luźna, nie za ciasna, bo po prostu — moja własna. I ty przecież masz zi-

mową kamizelkę pióreczkową, choć ciemniejszą, po-
pielatą, lecz puszystą, miękką za to. Każde zwierzę cię
wyśmieje, gdy ten ciasny kubrak wdziejesz, bo przy-
gnieciesz sobie brzuszek i na brzuszku wytrzesz puszek.
Po cóż ci to ubiór taki? Czy go noszą inne ptaki? Po cóż
ci tam cudze piórka? Wygodniejsza własna skórka!

O wróbelku Elemelku i o jego pantofelku

Raz wróbelek Elemelek zgubił w śniegu pantofelek.
Pantofelek — strata wielka dla wróbelka Elemelka.

Raz, że trudno jest o skórę. Noga marznie też — po
wtóre. A po trzecie — wszyscy wiecie, że bez buta źle
na świecie!

Przez sobotę i niedzielę szukał butka Elemelek,
a raniutko w poniedziałek białej kory wziął kawałek
i napisał:

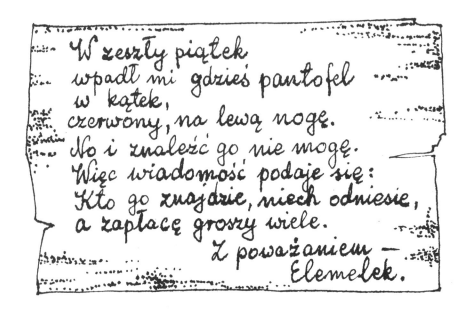

W zeszły piątek
wpadł mi gdzieś pantofel
w kątek,
czerwony, na lewą nogę.
No i znaleźć go nie mogę.
Więc wiadomość podaje się:
Kto go znajdzie, niech odniesie,
a zapłacę groszy wiele.
Z poważaniem —
Elemelek.

Przeczytała to wiewiórka, pogrzebała w śnieżnych górkach, poszukała, poszperała, lecz pantofla nie widziała.

Przeczytała także kurka, pogrzebała wśród podwórka.

— Ani widu, ani słychu! Pantofelek wzięło licho!

Szukał jeszcze pewien szczurek, szukał lisek i pies Burek, i dwie myszy, i łasica, słowem — cała okolica.

Choć szukali, lecz bez skutku. A tymczasem w jednym butku skakać musi przez dni wiele nasz wróbelek Elemelek.

Aż raz kiedyś tak się stało, że słoneczko silniej grzało, mocniej grzało i świeciło, trochę śniegu roztopiło.

Patrzy szczurek i pies Burek: sterczy coś wśród śnieżnych górek. Patrzy kurka i wiewiórka: cóż tam błyszczy w śnieżnych górkach?

— Ach, nie trzeba wiele pytać! To pantofel jest i kwita! A nagroda czeka wielka za pantofel Elemelka.

Jak nie skoczy piesek Burek, lisek–łysek, myszki, szczurek, jak nie zaczną z wielką wrzawą ciągnąć w lewo, ciągnąć w prawo, jak nie popchnie kurka szczurka, a wiewiórka pieska Burka — tak się z tego zrobił naraz taki zamęt i ambaras, że chwil nie minęło wiele, a podarli pantofelek.

— Jaka szkoda, wielka szkoda! Oj, przepadła nam nagroda...

Bo gdzie nie ma ładu, zgody, tam nie będzie i nagrody. Gdzie się kłócą — tam, kolego, nie ma z tego nic dobrego!

Musiał sobie Elemelek sprawić nowy pantofelek. Choć robiony według miary, jednak nie to, co ten stary...

O zziębniętym Elemelku, pustym brzuszku i rondelku

Miał wróbelek Elemelek miskę, łyżkę i rondelek. W misce mył się, choć był ptaszkiem, w rondlu sobie warzył kaszkę, a łyżeczką mieszał żwawo ptasią zupę w lewo, w prawo.

Ale przyszły niepogody, zimne wiatry, przykre chłody, noce długie, a dzień krótki. Znikły muchy i jagódki, o jedzenie coraz trudniej. Chyba lecieć na południe? Lecz we wróblim jest zwyczaju, by na zimę zostać w kraju. Rzucać gniazdko? Nie wypada! Chłodno? Głodno? Trudna rada.

Spojrzał smutno Elemelek na łyżeczkę i rondelek. I na piecyk z długą rurą patrzał długo i ponuro. Potem siadł, załamał skrzydła.

— Już ta sprawa mi obrzydła! Godzinami szukać trzeba, by okruszek znaleźć chleba lub zeschniętych pięć jagódek. Dziś zdobyłem z wielkim trudem muchy dwie, lecz, mówiąc szczerze, bardzo były już nieświeże. Nawet mnie rozbolał brzuszek po zjedzeniu tych dwóch muszek...

W prawym oku Elemelka zakręciła się kropelka i upadła pac! w rondelek. Wytarł dziobek Elemelek nową chustką w piękne kratki, co ją dostał od sąsiadki.

Wiewióreczka przebiegała, zapukała i zajrzała.

— A, moje uszanowanie! Czy skończyłeś już śniadanie? Wstąpię tylko i zobaczę. Elemelku, co to? Płaczesz?

— Ach, wiewiórciu, Rudakitko, wiem, że płakać — bardzo brzydko... Ale, cóż tu mówić wiele, spojrzyj: pusty mój rondelek. Ty przynajmniej w swoim mieszku masz na zimę dość orzeszków. Lecz gdzie moje tłuste muchy? Gdzie ziarenka? Gdzie okruchy?

— Elemelku, w górę dziobek! Pomyślimy nad sposobem, by wróbelki przez dzień cały głodem już nie przymierały. Popatrz, we wsi szkoła stoi. Przecież dzieci się nie boisz? Poleć tam i puknij w szyby jeden, drugi raz, jak gdyby dla przesłania dzieciom znaku: Puku– –puku! Piku–paku!

Więc wróbelek Elemelek nie namyślał się już wiele. Umył dziobek doskonale, szyję sobie związał szalem, piórka sczesał zaś na jeża i do szkoły prosto zmierza.

Słyszą dzieci z pierwszej klasy jakieś stuki i hałasy. To pod oknem ktoś się szasta. A kto? Wróbel — no i basta!

— Ktoś ty, ptaszku?

— Elemelek.

— Czego chciałeś?

— Ej, niewiele. Mam okropnie pusto w brzuszku. Może macie z pięć okruszków? Może jakąś skórkę chleba? Mnie tam wiele nie potrzeba... Mam apetyt dobry, ale — nie grymaszę wcale, wcale.

— Elemelku, chodźże do nas! Sprawa jest już załatwiona! Chleb dziś mamy na śniadanie, więc okruszki wnet dostaniesz. A któż się tam jeszcze kręci?

— To mój kuzyn Wiercipięcik. Nie dojada od niedzieli, więc się muszę z nim podzielić.

— A ten, co tak skacze w górę?

— To mój wujek Stroszypiórek. Bardzo miły, daję słowo. Zjadłby pewnie to i owo...

— A tam dalej?

— To mój stryjek. Skrzydełkami z głodu bije, bo z jedzeniem u nich krucho. Żywił się zeschniętą muchą.

Hej, nie śmiechy, hej, nie żarty! Wróbel drugi, trzeci, czwarty — głodnych wróbli cała chmara dostać się do okna stara. Przyszedł z bratem swym gołąbek uczesany w piękny ząbek i, o ile się nie mylę, przyplątały się też gile.

Dla zgłodniałej tej gromady zbrakło chleba — nie ma rady! W samej tylko pierwszej klasie więcej zebrać już nie da się. Lecz od jutra szkoła cała będzie ptaszkom jeść dawała. Tam na płocie, koło lasku, przybijemy deskę płasko, damy też w miseczce wody naszym gościom dla wygody. Ot, dla ptaków najzwyczajniej założymy jadłodajnię.

Elemelek wraz z rodziną pewnie z głodu już nie zginą. Utył nawet w tym tygodniu, bo objada się dzień po dniu. Także kuzyn Wiercipięcik z raźną miną dziobem kręci. Zaś wujaszek Stroszypiórek przyprowadził siedem córek, które, wdzięcznie chyląc główki, korzystają ze stołówki.

Skoczył promyk spoza chmurki, powyzłacał im pazurki, rozpadł się na krążki złote i przycupnął gdzieś za płotem. Gwar i świergot wokół rośnie:

— Może idzie już ku wiośnie?...

Wróbelek Elemelek i jego przyjaciele

Jak w kostiumie Elemelka nagle zmiana zaszła wielka

Miał wróbelek Elemelek różnych mieszkań bardzo wiele. Najpierw mieszkał przez czas pewien w miejskim parku gdzieś na drzewie, potem chyba trzy tygodnie w dziurze w murze żył wygodnie; mieszkał tydzień przy kurniku, gdzie za dużo było krzyku, później miał mieszkanko ciche na przygórku, aż pod strychem. A gdy przyszła późna jesień, rzekł, że chce zamieszkać w lesie, bo mu piórka wiatr przewiewa, więc się schroni między drzewa.

Właśnie mu poradził zając, aby od wiewiórki pewnej wydzierżawił, nie zwlekając, pół przytulnej dziupli drzewnej. Wiewióreczka była skora przyjąć w dom sublokatora, za niewielką więc opłatą chętnie się zgodziła na to.

Energicznie i z ochotą wróbel zajął się robotą: kurz pościerał i wyczyścił ciepłą kołdrę z suchych liści, szpary mchami pozatykał, przygotował butki z łyka i w swej dziupli już bez trwogi czeka, aż mróz chwyci srogi.

Przez sobotę prawie całą było w lesie śniegu mało, lecz o zmroku, nad wieczorem, spadły z nieba płatki spore i gdy rano, już w niedzielę, obudził się Elemelek, to aż skrzydłem przetarł oczy, myśląc, że to sen uroczy.

Każdy badyl, każdy krzaczek watowany wdział kubraczek, nawet każdy sęk i kołek białą czapę ma nad czołem. Świerki, jodła i sosenka w wizytowych są sukienkach, odświeżone, wystrojone — czy to one, czy nie one?

— I ja także chcę mieć nowy watowany płaszcz zimowy. Zawsze letnie mam ubranie nosić? A niedoczekanie! Wśród leszczyny lub jedliny siądę tu na pół godziny, by zobaczył mnie świat cały w stroju modnym, ciepłym, białym.

Choć go mrozik w dziobek szczypie, siadł i czeka.

A śnieg sypie.

Już na głowie Elemelka biała czapa rośnie wielka, grzbiet i skrzydła aż po brzuszek w ciepły skryły się kożuszek. Wiewióreczka gdzieś z wysoka popatrzyła w dół spod oka i spytała ze zdziwieniem:

— A cóż to znów za stworzenie? Napuszone, białe, grube... Czy to bałwan, czy też wróbel?

— Bałwan?! O, wypraszam sobie! Też mi grzecz-

ność! Wiem, co zrobię: myszka ma tu pod korzeniem eleganckie pomieszczenie. Pójdę złożyć jej wizytę i w lustrze się przejrzę przy tym. Myszka znana jest z grzeczności, więc na pewno mnie ugości.

Zlazł ostrożnie na dół z krzaczka, by nie zgubić swego fraczka, i zagiąwszy dwa pazurki, stuknął. Mysz wyjrzała z dziurki.

— Elemelek? Witam pana! Cóż za zmiana niesłychana! Jaka czapka! I kołnierzyk! Trudno oczom wprost uwierzyć. Czy pan zdejmie w przedpokoju, czy zostanie pan w tym stroju?

— Och, nie chciałbym go zdejmować, bo przeziębi mi się głowa. Zresztą, myszko, przyzna pani, że twarzowy mam kaftanik?

— Tak, prześliczny to paltocik. Niech pan siądzie tu, przy cioci i kuzynie Ostronosie. Oto ziarna w burym sosie.

Ciocia, babcia, stryjek z żoną i kuzynów też niemało, całe liczne mysie grono dziś u myszki się zebrało. Wszyscy byli bardzo mili, wszyscy zgodnie pochwalili Elemelka strój zimowy: płaszczyk i nakrycie głowy.

Siedząc pośród mysich gości wróbel puszy się z radości i raz po raz bystro zerka trochę w lewo, do lusterka.

Nagle kuzyn Ostronosek bardzo cienkim piśnie głosem, a Pazurek, miły wujek, rzecze:

— Wilgoć dziwną czuję...

— Ja też łapy mam zmoczone!

— Ja wilgotny mam ogonek.

— Ach, jak mokro! Coraz gorzej!

— Skąd ta woda? Powódź może? Potop? Czy wylała rzeka?

— Prędzej! Trzeba stąd uciekać!

Ciocia, babcia, stryjek z żoną i kuzynów liczne grono gubiąc trepki i kichając w drzwi gwałtownie się wpychają.

A po brzuszku Elemelka za kropelką mknie kropelka. Kapie woda aż na nóżki, spod kaptura cieknią strużki... Elemelek z trwogą zerka troszkę w lewo, do lusterka, i cóż widzi? Z szarych piórek znikł serdaczek i kapturek, a sam wróbel z mokrym piórkiem przypomina zmokłą kurkę...

Tak to piękny strój puszysty, zamieniwszy się w jeziorko, przerwał obiad uroczysty.

Umilkł gwar przed mysią norką, pierzchli goście w różne strony.

Elemelek zawstydzony szepnął:

— Myszko, wybacz, proszę, żem wniósł zamęt w twoje progi. Chyba kupię dziś kalosze? Strasznie mi przemokły nogi...

Myszka dała mu ściereczkę mówiąc:

— Nic się znów nie stało! Lepiej osusz się troszeczkę, by ci w kościach nie strzykało. Skoro tak już złożyło się, trudno, nie ma co żałować. Zjedzmy ziarnka w burym sosie: to potrawa bardzo zdrowa!

Jak choruje Elemelek, jak go leczą przyjaciele

Miał wróbelek Elemelek lekki katar i kaszelek. Dziób wycierał żółtą chustką (z monogramem i wypustką), co ją dostał od swej babci. No i kichał: apci, apci!

Bo ta zima, nie przesadzam, nos, mój panie, wszędzie wsadza. Choć już czas jej iść za morze, psoci nam, jak tylko może. Tu nadmucha, tam przymrozi, straszy, straszy, grypą grozi, wciąż się bierze na sposoby, by podrzucić nam choroby.

— Elemelku — sroka skrzeczy — nie zaniedbuj takich rzeczy! Bo czasami z przeziębienia puchnie gardło, głos się zmienia, coraz grubszy jest i z czasem możesz nawet ćwierkać basem. Owiń gardło ciepłym szalem i nie wychodź z domu wcale.

Doradzała wiewióreczka:

— Wbij jajeczka do kubeczka, zmieszaj dobrze, cukru dosyp, dodaj dziesięć kropli rosy i popijaj to nie rzadziej niż dwanaście razy na dzień.

Ale zając już ją gani:

— Nic niewarte, moja pani! Weź rondelek, Elemelku, zaparz ziółka w tym rondelku: majeranek i rumianek, dobrze z pieprzem wymieszane, pij maliny, sok z jeżyny, weź pięć proszków aspiryny.

— Lepiej będzie — rzecze sowa — inny środek za-

stosować. Terpentyną plecy natrzyj, będziesz zdrowy
jak się patrzy. Ot, masz tu skarpetek parę, bardzo ciepłe, choć już stare; dzień i noc je miej na nóżkach
i czym prędzej wchodź do łóżka.

Wzdycha biedny Elemelek. Czy to aby nie za wiele?
Ciepłym się owinął szalem, nie wychodzi z domu wcale
i próbuje tylko czasem, czy nie ćwierka jeszcze basem.
Wbił jajeczka do kubeczka, dodał cukru, dolał mlecz-
ka i popija to nie rzadziej niż dwanaście razy na
dzień.

Ma robotę Elemelek: tutaj kubek, tam rondelek,
terpentyną piórka natarł, ale wciąż ma jeszcze katar —
choć nieduży, lecz uparty. Pokasłuje też. Nie żarty!
I w chusteczkę, tę od babci, kichnie czasem: apci!
apci!

Aż pewnego dnia wyraźnie poczuł się wróbelek raź-
niej.

— Dosyć się już wyleżałem. Dwa tygodnie leżę
całe. Gimnastykę zrobię zaraz, dobrze rozgrzać się po-
staram: skrzydła w bok — i mach! ogonem, dwa podskoki w lewą stronę, dwa podskoki w stronę prawą —
i do lasu frrr! a żwawo!

Właśnie zima swe manatki spakowała już w tobołek,
wyszły z ziemi pierwsze kwiatki, choć nieśmiałe, lecz
wesołe. Drzewa prężą też gałązki, tu i ówdzie trawa rośnie, słońce wsuwa promień wąski między krzewy. To
przedwiośnie! Za dni parę — w czwartek, w piątek —
zajrzy wiosna w każdy kątek.

Szybko fruwa Elemelek, gubi katar i kaszelek.

— Schowam chustkę, tę od babci. Nie chcę kichać:
apci, apci! I skarpetki oddam sowie. Chcę być zdrów.
Niech żyje zdrowie!

Jak czerwony parasolik smokiem został mimo woli

Elemelek — pewnie wiecie — ciągle kręci się po świecie. Raz jest na wsi, to znów w mieście, że i sam już nie wie wreszcie, czy ma zwać się miejskim ptakiem, czy po prostu jest wieśniakiem.

Gdy w miasteczku był we środę, trafił tam na niepogodę. Deszczyk siąpi, kropi, kapie... Elemelek wolno człapie, patrząc, gdzie by tu się schronić. Oto właśnie jest balkonik, pod nim sucho.

Myśli ptaszek:

„Gdyby to mieć taki daszek, co go ludzie często mają, parasolem nazywają! Lecz cóż — smutna ptasia dola: brak dla ptaka parasola".

Głębiej wsunął się pod ganek i natrafił na gałganek. To czerwona chustka spora, którą zgubił ktoś przedwczoraj. Obręb trochę wystrzępiony, dziurki z tej i tamtej strony, tu pomięta, tam rozdarta, lecz coś przecież jeszcze warta!

Wróblik porwał ją i niesie aż do swego domku w lesie. W drzewnej dziupli głowę schyla, do wiewiórki się przymila:

— Wiewióreczko moja miła, może byś mi tak uszyła parasolik z tej tu szmatki? Patrz: materiał dobry, gładki, druty z igieł dasz sosnowych, a na rączkę ten dębowy zgięty kijek nam się nada. Zróbże zaraz, nie odkładaj!

Wiewióreczka jest to wielka przyjaciółka Elemelka. Obiecała, że robotę skończy w piątek lub w sobotę. I już oto na niedzielę ma parasol Elemelek.

Właśnie tak się dobrze składa, że wiosenny deszczyk pada. Bo i cóż to znaczy teraz! Parasolik się otwiera i...

...i tutaj, wiedzcie o tym, zaczynają się kłopoty.

Wróbel bierze go w pazurki i spacerem chce iść z górki. Ale jak? Na jednej nodze? Niewygodne to jest srodze! Więc pod skrzydło kijek wciska. Lecz że rączka trochę śliska, parasolik się co chwila kręci, krzywi i przechyla, osłaniając do połowy tylko ogon wróbelkowy.

Elemelek myśli sobie:

„Będę niósł parasol w dziobie, niechaj głowę mi osłoni. Potem siądę na jabłoni, aby wszyscy przy niedzieli z parasolem mnie widzieli".

Przyszły ptaki, oglądają, trochę dziwne miny mają. Czy zazdroszczą, czy też może podśmiewają się, broń Boże?

— Spójrz, parasol: nowa moda! Ale czy to jest wygoda? Ciągle w górę wznosić głowę, w dziobie drewno mieć dębowe i na wiatr uważać stale...

Nie opłaca się to wcale!

A wiatr się poderwał właśnie. Jak nie świśnie, jak nie trzaśnie, gałązkami zakołysze, setką głosów zmąci ciszę, pod parasol już się wpycha, szust! wywraca go — do licha! Potem zaś na ogon wrony rzuca przedmiot ów czerwony.

Z jabłoneczki płatki lecą... Wróbel się zaperzył nieco:

— Panie wietrze, ej, oj, hola! Nie zabieraj parasola!

Ale, ale! Też żądanie! Spójrz no tylko, miły panie, jak tam wrona przerażona z parasolem u ogona fruwa w kółko, kracze, płacze:

— Krra! Smok strraszny! Nie inaczej! W smoczej paszczy, krra, czerrwonej zniknął czarrny mój ogonek! Smok okrrutny mnie pożerra! Krra! Cóż biedna zrrobię terraz? Krra, rratunku! Krra, pomocy! Kto mnie wyrrwie z jego mocy?

Tak szarpała się w uwięzi, aż nareszcie na gałęzi zaczepiony parasolik ogon wrony z pęt wyzwolił, a sam, zgięty i pomięty, połamane zwiesza pręty.

Biedna wrona długo jeszcze miała spazmy, miała dreszcze, choć sąsiadki ile siły na wyścigi ją cuciły.

Więc to wszystko wywołało ćwierkań, plotek, drwin niemało. Ta przygoda teraz co dzień z dziobów ptakom wprost nie schodzi!

Westchnął wróblik:

— To niemiłe! Bo też, widzę, źle zrobiłem. Po cóż było brać chusteczkę, po co trudzić wiewióreczkę? Cudza rzecz, choćby zgubiona, nie należy przecież do nas.

Telemelefonik

Umówiły się pająki w polu, w lesie i wśród łąki, że pajęczą nitką złotą okolicę w krąg oplotą. Wnet po tej pajęczej sieci cienki głosik w dal poleci. A słuchawki z trawy giętkiej gdy się splecie umiejętnie i założy leśne dzwonki z głosikami jak skowronki — to maleńki telefonik w każdym domu może dzwonić.

Choć pająkom całe lato trzeba muchy dawać za to

lub komary albo trzmiele, nie ma z tym zachodu wiele: złapać muchę — lekka praca, a telefon się opłaca.

Sroka, dzięcioł, kos, gawrony — wszyscy mają telefony. Myszka długo się wahała, lecz się w końcu skusić dała.

Elemelek myśli sobie:

„Chyba i ja też tak zrobię?... Interesów mam bez liku w lesie, w polu, w zagajniku; zamiast latać, pióra zdzierać, można z domu dzwonić teraz".

Podniósł listek na polanie i napisał wnet:

Podanie
Niech Centrala się postara,
abym szybko mógł aparat
mieć Telemelefoniczny,
bo to wymysł jest praktyczny,
a ja spraw mam pilnych wiele.
Z poważaniem —
Elemelek.

Elemelka wszyscy znają. Więc pająki, nie zwlekając, podpisały mu podanie bez kolejki, na kolanie i odbiły łapek osiem umaczanych w rannej rosie jako pieczęć. Już nazajutrz wre robota w cichym gaju.

Jest słuchawka jak cacuszko, tylko przytknąć do niej uszko; leśny dzwonek fiołkowy do dzwonienia jest gotowy.

— Mam aparat założony! Mogę dzwonić stąd do wrony! Nie, do myszki, aż na pole, najpierw się odezwać wolę. Numer? Kąkol-mak-3 kłosy.

Lecz cóż to za dziwne głosy? Jakieś bzyki i buczenie... Uszkodzone połączenie?

— Tak, z pewnością. Trudna rada! Więc ze sroczką dziś pogadam. Jaki to tam numer będzie? 4 listki-2 żołędzie.

— Halo! Bzyk... Czy to... bzyk... sroka?

— Kwoka? Bzzz... Ja jestem kwoka?

— Ach, nie... zzyg... Proszę... zzyg... słuchać!

— To pan głuchy! Ja nie głucha! Kto to mówi?

— ...bzz... bzz... melek.

— Bzybzymelek? To za wiele! Ktoś się ze mnie zakpić stara. Proszę się wyłączyć zaraz!

I już sroczka, kuma miła, swą słuchawkę odłożyła.

Ot, masz teraz, babo, placek!

— Przecież abonament płacę: raz na tydzień cztery muchy. A telefon na pół głuchy: coś w nim brzęczy, coś w nim bzyka... Trzeba by tu mechanika.

Elemelek się rozżalił i zadzwonił do centrali:

— Co ja... zzy... bzzy... zrobię teraz?

— Przysyłamy ...zbzz... montera.

Monter, wielki pająk–krzyżak, rzeczywiście już się zbliża. Sprawdził przewód i słuchawkę, potem wszedł w soczystą trawkę, w której, skryty do połowy, rośnie dzwonek fiołkowy.

Poruszyła się łodyga, zawarczało coś jak fryga, po czym z kwiatka się powoli bąk kosmaty wygramolił, kwietnym sokiem objedzony...

Ot — aparat naprawiony!

— Ach tak? Więc te tony głuche, co brzęczały nam nad uchem, on wydawał — bąk, bączysko! Teraz już rozumiem wszystko!

— Zzzum! — bąk odrzekł, spojrzał krzywo i gdzieś zniknął za pokrzywą.

No i odtąd, panie bracie, nic nie brzęczy w aparacie. Czy po lesie, czy z centrali jasno głosy płyną z dali wzdłuż pajęczych srebrnych drutów. Dzwonek działa bez zarzutu.

Elemelek już od rana dzwoni często do bociana,

z zajączkami godzinami gada, mówiąc między nami, także z wroną i z bekasem. A jeśli się nudzi czasem, przez telefon pyta sowę:

— Czy są ptasie plotki nowe?...

Jak z kogutem na kościele spotkał się raz Elemelek

Miał wróbelek Elemelek cioć, babć oraz wujków wiele.

Wujek mieszkał na rozstaju, babcia — aż w brzozowym gaju, jedna ciocia — przy krynicy, druga ciocia — na dzwonnicy.

Na przedmieściu Wróble Piórko stoi kościół tuż za górką. W słońcu się dzwonnica złoci, tam się mieści domek cioci, która od zeszłego piątku mieszka tu w zacisznym kątku.

I ta właśnie ciocia miła do wróbelka zadzwoniła. Naprawiony telefonik dzwoneczkowym głosem dzwoni.

— Czy to numer 4 szyszki? Tutaj ciocia — ta spod dzwonu. Od znajomej dzwonię myszki, bo ja nie mam telefonu. Wszakże mówię z Elemelkiem? Przyjdź dziś do mnie, bardzo proszę. Poczęstuję cię kisielkiem i zielony podam groszek.

Elemelek nie znał drogi, więc się zwrócił do stonogi, która nogą siedemnastą pokazała wprost na miasto.

— W tym to mieście, tuż za górką, jest przedmieście Wróble Piórko.

Widać górkę, rzeczywiście, i dzwonnica lśni złociście. A na dachu, drodzy moi, ptak ogromnie dziwny stoi: ma koguci barwny ogon, błyska okiem i ostrogą, ma też grzebień i dziób srogi, brak mu tylko jednej nogi.

Elemelek, trochę w strachu, na kościelnym przysiadł dachu i ukłonił się ptakowi mówiąc:

— Może pan mi powie, jeśli łaska, drogi panie, gdzie tu cioci jest mieszkanie? Moja ciocia, miła wdowa, nazywa się Pióreczkowa.

Powiał wietrzyk. Pan kogucik nagle tyłem się odwrócił, błysnął skrzydłem i ostrogą i zaskrzypiał bardzo srogo. Jak zaskrzypiał? A ot tak:

— Grryk, brryk, krrak!

Elemelek przestraszony, obrażony i zdziwiony myśli: „Przecież grzeczny byłem, a on się odwraca tyłem i dziwaczne mówi słowa. Czy to cudzoziemska mowa? A więc zaraz go zapytam, by wyjaśnić rzecz i kwita!"

Podszedł z przodu do kogutka i rzekł:

— Choć znajomość krótka, niech mi pan powiedzieć raczy, czemu mówi pan inaczej? Czy pan może cudzoziemiec, który zwiedza naszą ziemię? Pan w podróży jest, czy tak?

Na to ptak, dziwny ptak, jakby słów mu było brak, sztywny swój unosząc ogon zgrzytnął znowu bardzo srogo:

— Krryk, grryk, brrak!

Po czym w Elemelka stronę znów odwrócił się ogonem.

— O nie, tego już za wiele! — ćwierknął mały Elemelek. — Takiej brzydkiej niegrzeczności nie daruję ja waszmości!

Rozwarł dziobek, rozpiął skrzydła, śmiało skoczył do straszydła i bęc! dziobnął z lewej strony prosto w grzebień ów czerwony, co kogucie zdobił czoło.

Ptak zakręcił się wokoło, ogon niby tarcza wielka trzepnął mocno Elemelka; Elemelek kozła fiknął, trochę pisnął, trochę krzyknął, w dół się tocząc po dachówkach, aż mu dziób się trząsł i główka. Wołał przy tym:

— Ciociu droga, ratujże mnie, olaboga!

Słysząc te płaczliwe słowa bieży ciocia, zacna wdowa, a z nią młode gołąbeczki, dwie sąsiadki–plotkareczki.

— Elemelku, co się stało? Powiedz nam tu prawdę całą. Jak to? A więc ten kogucik potrącił cię i przewrócił? Po cóż tyle krzyku, strachu? To blaszany ptak na dachu. W deszcz, pogodę czy zawieję pokazuje, skąd wiatr wieje. Toż to kurek na kościele!

Zawstydzony Elemelek spuścił głowę. Lecz sąsiadki otarły go piórkiem gładkim i zawiodły do mieszkania, gdzie czekały już dwa dania: słodki groszek i kisielek.

Pocieszył się Elemelek.

O czereśniach, o straszku, o brudasie Łukaszku

Elemelek koło płotka dwie zielone żabki spotkał.

— Dokądże to, mości panie?

— Chciałbym smaczne zjeść śniadanie, a że w sadzie są czereśnie...

— Na czereśnie nie za wcześnie?

— Nie. Podobno już dojrzały. Jest to owoc doskonały, no więc...

— A czy się nie boisz? W sadzie strach na wróble stoi. Wiesz? Z konopi ma czuprynę i ogromnie groźną minę. Kij też w ręku trzyma wielki, żeby straszyć nim wróbelki.

Elemelek machnął łapką.

— Strach na wróble? Droga żabko! Już na strachy, mówię szczerze, nikt mnie więcej nie nabierze. Ot, stał kogut raz na dachu. Hej, napędził on mi strachu! No i po cóż były strachy, skoro to był kurek z blachy? Do widzenia, miłe panie! Lecę na owocobranie.

Oto sad jest. Wśród zieleni mnóstwo kulek się rumieni. Jakie piękne! A przez liście widać stracha, rzeczywiście. Odwrócony stoi bokiem, czapa zwisa mu nad okiem, strzępy wiszą u rękawa, w strzępach też nogawka prawa, konopiastą ma czuprynę i zapewne groźną minę...

Elemelek dziś na stracha nie uważa. Skrzydłem macha, na gałązce zręcznie siada, czereśniami się objada. Tę uskubał, tę napoczął, do tej zabrał się ochoczo, oczy przymknął jakby we śnie...

— Ach, czereśnie! Ach, czereśnie! Jaki kolor i kształt jaki! To docenią tylko ptaki. Jaki smak, jakie zapachy! Co mi też tam wszystkie strachy!

Zerknął. Ej, czy aby nie śni?... Utkwił w gardle kęs czereśni, w którym pestka, twarde licho, przyczaiła się gdzieś cicho.

Elemelek dziób otwarty trzyma. Gwałtu! To nie żarty! Czy to czary? Czy to dziwy? Strach się rusza. Strach jest żywy!...

Czapa drga na głowie stracha, a strach tyką w ręku macha. Strząsa owoc tyka wielka — a nuż strząśnie Elemelka?

— Na co czekać? Nogi za pas! Tutaj strach mnie może złapać.

Ptaszek chrząknął, prychnął, westchnął, po czym z tkwiącą w gardle pestką poszybował w las przez pole.

— Ratujże mnie, kh... dzięciole, bo mi pestka ...kh... niemiła kością w gardle ...kh... utkwiła!

Dzięcioł znanym jest doktorem. Leczy przecież drzewa chore: tu ostuka, tam opuka, bo korników w korze szuka.

Wróbel rozwarł dziób szeroko, dzięcioł zaś przybliżył oko — oko krągłe niby gała, i powiedział:

— Mów: a–a–a...

— A–a... a–a... — wróblik stęka. Dzięcioł wsparł się na dwóch sękach, dziób wysunął, ruszył szyją i — pliks! pestkę z gardła wyjął.

Elemelek skrzydłem trzepie.

— Ach, dziękuję! Już mi lepiej. Tylko serce jeszcze bije: strach, strach ożył! Chodzi! Żyje!

— Czy możliwe? — rzecze wrona. — Muszę o tym się przekonać. Poleć ze mną w sad z powrotem, ukryjemy się za płotem.

Elemelek, szczerze powiem, jest ciekawski co się zowie! Więc poleciał.

Ej, nie straszka zobaczyli, lecz Łukaszka! Rozczochraną ma czuprynę, nos umazał jakimś płynem, strzępy wiszą u rękawa, w strzępach cała kieszeń prawa, nogi brudne, czarne ręce, a we włosach sto lub więcej różnych śmieci: słoma, liście... To strach, strach najoczywiściej!

Takim brudnym być jak Łukasz to doprawdy wielka sztuka. Kiedy wejdzie między krzaki, może straszyć wszystkie ptaki.

— Dziwne rzeczy! — rzekł wróbelek. — Strachu się najadłem wiele i jeść mi się odechciało, choć czereśni tu niemało. Lepiej skromne jeść obiady niż objadać cudze sady. Ot, poskaczę po podwórkach: ziarno jakieś da mi kurka...

Elemelek w nocnej porze podróżuje aż nad morze

Rzekł wróbelek Elemelek:

— Świata już zwiedziłem wiele. Byłem w Łodzi i w Poznaniu, w Pacanowie, na Żeraniu, odwiedziłem Zgierz i Zabrze, Kozią Wólkę też, a jakże, byłem w Rawie i w Warszawie, a więc w całym świecie prawie. Lecz tak jakoś się złożyło, że nad morzem mnie nie było. Otóż, jakem Elemelek, muszę morskie brać kąpiele. W walizeczkę kostium kładę, z wujkiem żegnam się i z ciocią, w pociąg wsiadam — no i jadę!

Mówi myszka:

— Wsiadasz w pociąg? Ej, nie wsiądziesz, bo niestety tam potrzebne są bilety. A któż, niech mi wróbel powie, sprzeda bilet wróbelkowi?

— Hm, to prawda. Cóż ja zrobię?... At, poradzę jakoś sobie! Pociąg znajdę najzwyczajniej, który jedzie do Jastarni, i przysiądę gdzieś na dachu.

— Najesz się na dachu strachu! Jeszcze zdrzemniesz się i spadniesz, potem szukać cię wypadnie. Albo iskra pryśnie jaka... To przestraszyć może ptaka!

— Kraczesz, moja myszko miła, jakbyś krukiem jakimś była. Nic się złego stać nie może. Jutro będę już nad morzem.

Wnet pożegnał się z rodziną, dwa ręczniki w rolkę zwinął, zapakował chustek parę, wziął ze sobą też zegarek, chcąc dokładnie zawsze wiedzieć, jak ma długo w morzu siedzieć. I w godzinie oznaczonej szybko skacze po peronie; walizeczkę skrzydłem ściska, była bowiem trochę śliska.

Stoi pociąg. Ruch dokoła. Ten się spieszy, ten coś woła, tamci kłócą się i tłoczą. A wróbelek już ochoczo na dach wskoczył, spojrzał wkoło, ćwierknął głośno i wesoło i w przytulnym zagłębieniu przysiadł sobie, skryty w cieniu.

Rusza pociąg — pach, pach, pachu! Elemelek na swym dachu niespokojnie skrzydłem ruszył, bo lęk poczuł w głębi duszy. Tyle stuku, tyle szczęku...

— Ach, nie! Śmiało i bez lęku będę dalej podróżował. Wrócić? Stchórzyć? Próżne słowa!

Ale wieczór już zapada, wyszła z lasu nocka blada, zapaliła gwiazdek trzysta ... Dodał węgla maszynista i parowóz jak smok dymi: leci dymu kłąb olbrzymi, leci iskier lśniąca smuga, na dach pada jedna, druga. Wszystkie koła dudnią głucho, wiatr świszczący dmucha w ucho, piórka stroszy i rozdyma...

— Olaboga! Nie wytrzymam!

Miała rację myszka mała, kiedy rano ostrzegała, że to podróż nazbyt wielka dla małego Elemelka!

A pod dachem, tam w wagonie, niebieskawe światło płonie, nie ma iskier, wiatru, zgrzytu... Hej, przeczekać tam do świtu, dostać się do środka zaraz, jeśli znajdzie się choć szpara!...

Oto stacja — pociąg staje: chwila świetnie się nadaje. Więc zziębnięty Elemelek nie namyśla się już wiele. Walizeczkę wziął w pazurki, machnął skrzydłem, szmyrgnął z górki i na oknie uchylonym przysiadł, nieco przestraszony.

Rozejrzawszy się z powagą, błysnął okiem i powiedział:

— Tak, to jest sypialny wagon i na szczęście męski przedział. Więc trafiłem doskonale i nie cofnę się stąd

wcale. Aż trzy łóżka są przy ścianie, czyste na nich jest posłanie, lecz zajęte są dwa dolne, za to górne całkiem wolne. Pan na dole twardo zasnął, wyżej — chłopiec z buzią jasną smacznie śpi w piżamce w kratę... Trzecie łóżko zajmę zatem!

Śpią podróżni nie najgorzej, Elemelek spać nie może. Czemu takie duże łóżko? Co tu robić z tą poduszką? A ta kołdra? Po co, na co? Za co ludzie tyle płacą? Jeśli kiedy jechać będę, to wynajmę sobie grzędę. Gdy się jedzie przez noc całą, mogliby dać chociaż gałąź!...

Długo kręcił się, przewracał i skrzydłami wkoło pacał. Nagle jasny blask sygnału wpada oknem do przedziału, oświetlając śpiące twarze oraz półkę na bagaże: jest drewienko wygładzone i oparcie na ogonek; a na siatce to by można nawet huśtać się z ostrożna...

Elemelek śmiało skoczył, siadł na półce, zamknął oczy, jedną nogę uniósł w górę i nastroszył dwieście piórek. Pędzi pociąg, dźwięczą koła, czarna nocka dookoła, ludzie chrapią w ciepłym łóżku, śpi na półce kulka z puszku.

Elemelku, śpij, dobranoc! Zbudzimy cię jutro rano.

Jak to mały Elemelek
w wielkim morzu brał kąpiele

Wczesnym rankiem wstało słońce, wyzłociło morski piasek i na fale bryzgające zarzuciło srebrny pasek. Każda fala z białej piany ma falbankę koronkową; szemrzą fale chórem zgranym piosnkę starą, a wciąż nową.

Elemelek stał z walizką spoglądając na to wszystko. A że bardzo był zdziwiony, więc rozstawił nóżki obie, kręcił łebkiem w różne strony i rozdziawiał krótki dziobek. Sam do siebie przy tym gadał:

— Strasznie jest to morze duże! Deszcz tu wielki chyba padał ze trzy lata albo dłużej. Jak też ono szumi, śpiewa... Za tą plażą widzę drzewa, więc wynajmę pokój w listkach. Niech zostanie tam walizka, a ja zaraz włożę nowy zgrabny kostium kąpielowy.

Smukłe mewy z piórkiem białym spadły z szumem jak latawce i na falach się huśtały jakby właśnie na huśtawce. Wróbel w modnym swym kostiumie pręży łapki tak jak umie, poprzez plażę mknie wytrwale i też skacze już na fale, aby ich spienione grzbiety pohuśtały go.

Oj, rety! Jak tu mokro! Ile piany! Kto tak pryska? To bałwany! Bałwan duży z drugim, małym, Elemelka wnet porwały, zakręciły, zamoczyły. Taki prysznic nie jest miły dla małego wróbelaska. Więc zawołał:

— Jeśli łaska, odsuń no się, mój bałwanie. Niech pan bałwan już przestanie i popłynie w inną stronę. Ach, ratunku, gwałtu! Tonę!

Smukłe mewy z piórkiem białym usłyszały, podleciały i wróbelek rozkrzyczany wyłowiony został z piany. Na swych skrzydłach srebrnych, prostych śmigłe mewy

go uniosły i złożyły w dołku z piasku, gdzie zaprzestał wreszcie wrzasków.

— Panie wróblu, jak to można? Trzeba z wolna i z ostrożna wchodzić w wodę, bo źle bywa, jeśli się nie umie pływać. Ucz się w płytkiej pływać wodzie; udzielamy lekcji co dzień.

Elemelek odrzekł skromnie:

— Wdzięczny jestem wam ogromnie, śliczne mewy, lecz dziękuję, pewniej się na lądzie czuję. Kąpiel w piasku dla wróbelka to przyjemność bardzo wielka. Piasek grzeje, słonko świeci... ale skąd tu tyle dzieci?

Spojrzą ptaki, a wokoło roześmiane stoi koło; w którąkolwiek spojrzysz stronę — wszędzie nosy opalone.

— Elemelku! Czy być może? Przyjechałeś tu nad

morze? Wynajałeś domek w lasku? Chodź się z nami bawić w piasku! My będziemy robić babki, ty — odciśniesz na nich łapki. Wiele czasu już nie mamy: tydzień, dwa — i wyjeżdżamy...

Rzecze ptaszek:

— Macie rację. Wkrótce miną nam wakacje. Muszę czas ten wykorzystać, zwiedzić plażę, łódki, przystań, nad tę wodę frunąć wielką i pobawić się muszelką. Potem razem z wami wrócę. Przedszkolakom piórko rzucę i pozdrowię ich wesoło, a poskaczę też przed szkołą. W każdej klasie przez okienko zajrzę, stuknę w szybę cienką, skrzydłem dzieciom zatrzepoczę, słowo ćwierknę im ochocze i pokręcę raźnie główką, by im pomóc przed klasówką.

Elemele-stop!

Elemelek, jak to wiecie, doskonale fruwa przecież: to podleci, to zawróci, to skrzydełkiem w górę rzuci. Ale — tak się właśnie stało, że raz mu się nie udało. O gałązkę się uderzył, rozbił skrzydło, spadł i leży.

Jakaś miękka pod nim górka, miękkiej ziemi pełno w piórkach... To jest chyba kretowisko! Pewnie krety są tu blisko?

— Na ratunek chodźcie, krety, bom się rozbił! Gwałtu, rety!

Wnet się krety pokazały, wydobyły bandaż biały i skrzydełko zręcznie, z wprawą owinęły dosyć żwawo.

— Cały prawy bok obity i nerwowy szok masz przy tym. O lataniu nie ma mowy, póki znów nie będziesz zdrowy.

— To dopiero pech, niestety! Co tu robić, miłe krety? Obiecałem przecież dzieciom, że za nimi będę leciał, że powrócę razem z wczasów i że w szkole im pomogę. Nie, doprawdy nie mam czasu, muszę dzisiaj ruszać w drogę!

— Elemelku — pliszka powie — pewien pomysł mam już w głowie. Każdy teraz na urlopie mówi wciąż o autostopie. Więc ty także wymyśl nowy autostop Elemelkowy. W samym środku bandażyka trzeba zrobić z koralika na tle białym krąg czerwony, bo to znak jest umówiony. Kiedy skrzydło w górę wzniesiesz i na ścieżce staniesz w lesie, to po drodze każde zwierzę na grzbiet chętnie cię zabierze. Spójrz, kalina ma korale: nadają się doskonale!

Oto właśnie widać jeża. Jeż przed siebie szybko zmierza drepcząc na swych krótkich nóżkach. A na grzbiecie ma jabłuszka.

— Panie jeżu, hola, hop! Stańże! Elemele–stop!

Jeż zatrzymał się przy sośnie. Elemelek więc radośnie wskoczył zaraz na jabłuszko, a jeż ruszył leśną dróżką. Jeż uwija się jak może, biegnie, biegnie, lecz — mój Boże — podróż jakoś wolno idzie...

— Będę jechał chyba z tydzień tym jeżowym autostopem?...

Aż tu zając mknie galopem.

— Hej, szaraczku, hop, hop, hop! Stójże! Elemele––stop!

Kiedy się zatrzymał zając, Elemelek nie zwlekając podziękował jeżykowi, na zającu się sadowi.

Już migają długie nogi, biegnie zając kawał drogi. W miękki włos zajęczej skórki trzeba dobrze wbić pazurki, by na ziemię się nie stoczyć podczas jazdy tej ochoczej, wreszcie, chyba po godzinie, widać norę w rozpadlinie.

— Tu już będzie kres podróży. Dłużej ci nie mogę służyć.

— Śliczne dzięki, mój zajączku. Do widzenia, bywaj zdrowy! Pójdę sobie dalej łączką, może spotkam pojazd nowy?

A na łące wśród łopianów spaceruje tłum bocianów. Ten klekocze, ten klekocze, tamten skrzydłem załopocze, ten coś powie, ów przygani — to prawdziwy sejm bociani! O czym mówi każdy bociek? Naturalnie o odlocie, o tym, jak by tu najszybciej w ciepłym znaleźć się Egipcie.

Dano hasło do odlotu.

— Kle, kle! Gotów każdy?

— Gotów!

Więc wróbelek skrzydło wznosi i bociana grzecznie prosi:

— Panie boćku, hola, hop! Stójże! Elemele–stop!

Zadziwiony patrzy bociek.

— To dopiero! Ot, sto pociech! Spójrzcie: małe to straszydło zawiązane wznosi skrzydło i chce jechać na mym grzbiecie.

— Elemelek to jest przecież! — inny bocian nagle woła.

Boćki tłoczą się dokoła.

— Elemelek? A to heca! Chodźże, siadaj mi na plecach!

Hej, to jazda, co się zowie! Aż się trochę kręci w głowie. Gdy rozpędzi się pan bociek, lecisz jakby w samolocie. A z boćkami najwyraźniej Elemelek jest w przyjaźni. Z grzbietu na grzbiet się przesiada, wypytuje, ćwierka, gada.

Bo tak dobrze się złożyło, że się w czasie tej podróży skrzydło całkiem zagoiło i już nie bolało dłużej.

Wreszcie widać duże domy i pod miastem las znajomy. Widać nawet w drzewie dziurkę i mieszkankę jej, wiewiórkę.

— Do widzenia, boćki miłe. Strasznie was już polubiłem. Korzystając z waszych grzbietów przejechałem bez biletu kawał świata, jak się zdaje. Lećcie zdrowo w ciepłe kraje! Gdy będziecie hen, za morzem, liścik mi przyślecie może?...

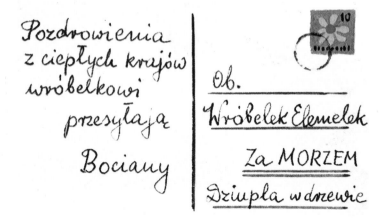

Pozdrowienia
z ciepłych krajów
wróbelkowi
przesyłają
Bociany

Ob.
Wróbelek Elemelek
Za MORZEM
Dziupla w drzewie

Psoty i kłopoty
wróbelka Elemelka

Jak wróbelek Elemelek
zamieszania zrobił wiele

Do wróbelka w któryś wtorek przyszło pismo dosyć spore, na klonowym barwnym liściu nakreślone zamaszyście:

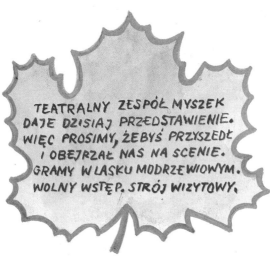

TEATRALNY ZESPÓŁ MYSZEK
DAJE DZISIAJ PRZEDSTAWIENIE.
WIĘC PROSIMY, ŻEBYŚ PRZYSZEDŁ
I OBEJRZAŁ NAS NA SCENIE.
GRAMY W LASKU MODRZEWIOWYM.
WOLNY WSTĘP. STRÓJ WIZYTOWY.

Elemelek się ucieszył, choć go ten dopisek speszył. Nawet sobie z lekka wzdychał:

— Wizytowy strój? Do licha! Trzeba znowu umyć szyję, choć we wtorki jej nie myję.

Piórka strzepnął i odświeżył, włożył krawat i koł-

58

nierzyk, wdział czapeczkę czy berecik, do modrzewi szybko leci.

Jest w modrzewiach ścięty pieniek. Na tym pieńku jak na scenie będzie grało mysie grono. Już kulisy ustawiono, na kurtynę, oczywiście, najbarwniejsze wzięto liście.

Widzów zeszło się niemało. Widać ptaków grupkę całą, przyszedł jeż, kret i wiewiórka, nie brak też młodego szczurka, który mamie z domu uciekł w jednym kapciu, w drugim bucie. Elemelek w pierwszym rzędzie czeka, co tu dalej będzie.

Rozsunęła się kurtyna, przedstawienie się zaczyna. Jakiż piękny mysi pałac! Jaka sala, lśniąca cała! W niej na tronie i w koronie król się rozsiadł na ogonie, a królowa swój wąs głaszcze i okrywa łapki płaszczem. Królewienka, mysia córka, niesie bukiet w dwóch pazurkach, za nią panie i panowie... Nie, wszystkiego nie opowiem!

Gra orkiestra, a na salę zgrabnie wbiega mysi balet. Tancereczki z sierścią szarą tańczą przed królewską parą. Miga wąsik, łapka miga i sukienka niby fryga wkoło się obraca rączo. To się myszki w krąg połączą, to na palcach w lewo, w prawo pomykają... Brawo, brawo!

Huczne brawa słychać wszędzie. Elemelek w pierwszym rzędzie klaszcze w skrzydła, wokół zerka, raz podskoczy, raz zaćwierka, w zachwyceniu oczy mruży, wreszcie — nie usiedział dłużej!

Pobiegł w przód, na scenę wyszedł i już tańczy pośród myszek. Tę okręci, tę potrąci, tamtą skrzydłem popchnie w kącik, a najmniejszej myszce burej dosyć mocno zgniótł pazurek.

Rwetes, gwałt i zamieszanie. Piszczą strojne dworskie panie, królewienka, gubiąc kwiatki, z płaczem tuli się do matki, drży królowa, a na tronie król załamał mysie dłonie...

Elemelek roztańczony wciąż się kręci w różne strony, aż chwyciła go wiewiórka i ściągnęła w dół za piórka.

— Elemelku, czy masz bzika, żeś w teatrze się rozbrykał? Któż tak robi? Fe, niemiło! Pomyśl tylko, co by było, gdyby tak publiczność cała szła na scenę i grać chciała?

Elemelek kiwa głową.

— Święta racja, daję słowo! Cóż, przeprosić myszy

muszę. Muszę zanieść też kwiatuszek tej najmniejszej myszce burej, której zgniotłem dziś pazurek... Gdy się zgodzi Zespół Myszek, abym znów na scenę wyszedł, to za jakieś dwa tygodnie zatańczymy wszyscy zgodnie. Obiecała dzika kaczka dać mi lekcję krakowiaczka, a perliczka z piórem w kropki będzie uczyć mnie galopki, hop, hop!

Elemelek z wrogiem toczy boje srogie

Czy widzicie Elemelka, jak się kręci po kafelkach przy basenie, który wreszcie zbudowano w naszym mieście?

Basen z lewej, głębszej strony jest dla starszych przeznaczony. Z prawej, gdzie dno płytkie świeci, mogą nawet małe dzieci kąpać się i chlapać w wodzie całe lato, choćby co dzień.

Elemelek z boku przysiadł: ratownikiem chce być dzisiaj. Któreś dziecko przecież może potknąć się i, nie daj Boże, łyknąć wody. Wtedy właśnie Elemelek głośno wrzaśnie, wezwie pomoc swoim krzykiem.

— Tak, tak! Będę ratownikiem!

Przymknął oczy. A tymczasem dzieci bawią się z hałasem wielką piłką. Pluski, wrzawa...

Nagle — co to? Sen czy jawa? Jakiś potwór dziwnych kształtów skacze w wodzie. Rety, gwałtu! Ptaszek oczom wprost nie wierzy. Potwór zęby groźnie szczerzy, macha łapą, grzbiet wypręża... Coś z jaszczurki ma, coś z węża. Ach, wąż morski, smok, poczwara! Wszystkie dzieci pożre zaraz!

Ptaszek porwał się z szelestem.

— Ratownikiem przecież jestem. Jeśli ostro się zabiorę, radę sobie dam z potworem.

Lecz nieduże są wróbelki, a ten potwór strasznie wielki. Jak uderzyć w pysk rozwarty? Taka paszcza to nie żarty!

— Trzeba zacząć od ogona, sprawa będzie ułatwiona. Biada ci, potworze, biada!

Na ogonie ptaszek siada, dziobem wali go, jak może. Na potworze sterczy rożek, przy nim sznurek czy łańcuszek.

— Za łańcuszek złapać muszę, szarpnąć bestię, szybko wzlecieć i odciągnąć ją od dzieci.

Już łańcuszek trzyma w dziobie, łapką też pomaga sobie. No i patrzcie: bestia taka ciągnąć daje się przez ptaka, przez małego Elemelka!

Szczeknął jamnik do pudelka:

— Spojrzyj! Jeśli się nie mylę, wróbel walczy z krokodylem!

Struchlał biedny Elemelek. Myśli:

„Tego już za wiele! To krokodyl?! A niechże cię! Opowiadał bocian przecież, jak w Afryce, gdzieś nad Nilem, raz się spotkał z krokodylem. Kto żyw tylko, ten umykał, bo krokodyl wszystkich łykał".

Ale, choć go strach obleciał, wróblik wspomniał znów o dzieciach:

— Skoro jestem ratownikiem, to nie cofnę się przed nikim!

Dzieci w piłkę grać przestały. Czy być może? Ptaszek mały na ogonie krokodyla skacze, wznosi się co chwila, trzepie skrzydłem, lecz łańcuszka z łap i z dzioba nie wypuszcza. Wtem kołeczek szmyrgnął w górę,

wróbel dziobem trafił w dziurę, coś syknęło, zaśwista-
ło...

Co to się właściwie stało?

To krokodyl, bestia wielka, dmuchnął tak na Elemelka swym ogonem: prosto w dziobek! Elemelek tym
sposobem wylądował na kafelkach, niedaleko od pudelka, przestraszony i spocony.

A krokodyl, zwyciężony, syknął jeszcze raz i drugi i
rozciągnął się jak długi. Groźne zęby schował w paszczy, jak naleśnik się rozpłaszczył, niepodobny do po-
twora, tylko do miękkiego wora.

— Brawo, ptaszku! — rzekł pudelek.

Skromnie ćwierknął Elemelek:

— Choć walczyłem w czoła pocie, lecz przesadził
trochę bociek: nie tak straszny jest krokodyl. Dałem
tego dziś dowody!

Elemelek i precelek

Raz wróbelek Elemelek miał ochotę na precelek: w kształt ósemki zakręcony, drobnym maczkiem przyczerniony. Lecz gdzie znaleźć przedmiot taki? Nie sprzedają precli ptaki! Cała ptasia rzesza wielka nie potrafi piec precelka...

— Do miasteczka się wybiorę, jarmark jest tam w każdy wtorek; a gdy jarmark się odbywa, nie zabraknie też pieczywa.

Oto stragan jest niewielki, na nim strucle i precelki. Ale jak ten przysmak dostać? Sprawa to nie taka prosta: trudno ptaszkom o gotówkę!

Elemelek skłania główkę, strzela jednym, drugim okiem, potem się okręca bokiem, rozpościera skrzydła oba... Tak kupcowej się spodobał, że rzuciła mu precelek.

— Macie, wróble, na wesele!

Hej, to gratka jest nie lada! Elemelek głowę wkłada w precelkową krągłą dziurę i chce z preclem frunąć w górę. Lecz ktoś inny w tejże chwili z drugiej dziurki się wychylił. Jakiś wróblik szary, mały, też łakomy, też zgłodniały trzepiąc skrzydłem cienko wrzaśnie:

— To mój precel!

— A mój właśnie!

— Ja już przedtem tu czekałem!

— Ja na własność go dostałem!

— Zmykaj stąd, ty nic dobrego!

— Zabierz głowę!

— Jeszcze czego!

— Precz, rabusiu, łakomczuchu!

— Precz, brzydalu, karaluchu!

Z tej ósemki precelkowej sterczą dzioby dwa, dwie głowy: każdy dziobek ćwierka, krzyczy, każdy ptak się rozindyczył. Ludzie stają przy straganie, rozbawieni niesłychanie; śmiechy słychać i okrzyki:

— Ot, zadziorne koguciki! Jak się to kotłują w piachu!

Napędzono wróblom strachu i czmychnęły w inną stronę, wciąż precelkiem połączone, by siąść wreszcie gdzieś na sośnie, dysząc ciężko i żałośnie.

Dzięcioł wyjrzał zza gałęzi.

— Dobrze panom w tej uwięzi? Jeśli chcecie, to rozkuję.

— Tak, tak! Niech pan popróbuje.

Dzięcioł ma naturę zacną. Pacnął lekko, mocniej pacnął, pacnął trzeci raz niezgorzej i wpół przeciął im obrożę. Już na obu kawalerach nie ósemka, ale zera.

Znad dwóch kółek, znad dwóch zerek do wróbelka rzekł wróbelek:

— Straciliśmy obaj głowy w tej rozprawie precelkowej i wynikła ptasia draka.

— Właśnie! Nieprzyjemność taka! Lepsza zgoda!

— Koniec z hecą!

— Wstyd mi, żem się uniósł nieco...

— Przyjmij pan wyrazy żalu, że nazwałem cię „karaluch".

Potem zjadły oba koła, zaprosiwszy też dzięcioła. Każdy grzecznie precel zjadał: nie swój własny, lecz — z sąsiada...

Jak wróbelek, niebożę, siadł na wentylatorze

Czas pogodny, więc w niedzielę zwiedzał miasto Elemelek. Przed kawiarnią, na tarasie, sporo ludzi jest w tym czasie. Nieraz ziarnko cukru zleci lub okruszek rzucą dzieci. Gdy poskaczesz przy stolikach, głód natrętny szybko znika.

W głębi widać sklep. Za ladą coś sprzedają, w paczki kładą. Pięknie pachnie... Są pierniki, ciasta, różne smakołyki. Elemelek próg przekroczył, w lewo, w prawo zwraca oczy, tu podfrunął, tam podreptał, mało go ktoś nie rozdeptał.

— Gdzieś wysoko siądę, z boku, bo zaduszą mnie w tym tłoku!

Oto widzi dziurę w murze i dziwnego coś w tej dziurze: niby wielká koniczyna czterolistna. Nie nowina, że to dobry znak, szczęśliwy. Ptaszek więc niefrasobliwy na tym liściu metalowym siadł wygodnie. Kłopot z głowy! Teraz można tu bezpiecznie siedzieć sobie, choćby wiecznie.

Elemelku, ech, niebożę: siadłeś na wentylatorze!

No i już za chwilę małą coś dmuchnęło, zabrzęczało, koniczyny cztery listki poruszyły się ze świstem, zatoczyły koło wielkie razem z ptaszkiem Elemelkiem, ptak wyleciał niczym z procy, chciał zawołać: Och, pomocy! Lecz nie zdążył. Z wielką siłą rymnął w coś, co pachnie miło.

A w cukierni rojno, gwarno, ludzie się do ciastek garną; z boku, w pudłach tekturowych, uchylonych do połowy, stoją torty zamówione. Nikt nie spojrzał w tamtą stronę i nie widział, że gdzieś z góry spadł kłębuszek szarobury.

Elemelek ze zdziwieniem patrzy: czy to klomb, czy wieniec? Piramidka owocowa (w niej, jak w gniazdku, ptak się schował), dalej krąg brązowy, gładki, a na brzegu różne kwiatki, jakieś dziwne zawijasy i orzeszki, i frykasy...

Wtem usłyszał lekki, prędki krok panienki, ekspedientki. Wróbel w pióra kryje głowę: jak się wymknąć tej sklepowej? Lecz panienka owa miła bardzo dzisiaj się spieszyła: nie spojrzała, pudło wzięła i przykrywką je zamknęła.

Nie opiszę, nie opowiem, co z pokrywką tą na głowie przeżył biedny Elemelek w ciemnym pudle w tę niedzielę. Ile wstrząsów i przechyleń, i kołysań różnych ile, przy tym duszno tak, u licha, że wprost nie ma czym oddychać!

Odbył podróż dość daleką. Wreszcie z pudła zdjęto wieko. Tort, poprzednio zamówiony, mąż dziś przyniósł dla swej żony. Są też goście tej niedzieli. Gdy spojrzeli — oniemieli. Czy to żart, czy moda taka? Wśród owoców — głowa ptaka!

— Ptaszek żywy, proszę pana? Może główka jest wypchana?

Nachylone twarze, oczy... Struchlał wróbel, ćwierknął, skoczył. Krzyk się podniósł w różnych tonach. Kulka szara, oblepiona tu okruchem, tam owocem, nagle skrzydłem zatrzepoce widząc okno uchylone i odfruwa w tamtą stronę.

— Jakie szczęście! Ach, swoboda! Widok drzewa sił mi dodał. Na gałęzi siądę sobie i z tych ozdób się oskrobię.

Nie trudźże się, Elemelku! Bo już inni z chęcią wielką, z przyjemnością i ochotą piórka twoje czyszczą oto.

Miły stryjek Hulajdusza krótkim dziobem żwawo rusza. Jego żona Hulajnoga i córeczka Olaboga wróbelkowe skubią nóżki i zdziobują z nich okruszki. Trafi się też w szarych piórkach i pomarańczowa skórka!

— Ale świetne! Mniam! Pyszności! Pięknie kuzyn nas ugościł! Może by tak co niedzielę?

— Nie, dziękuję! — rzekł wróbelek.

O kwoczce w koszyku i smoczym języku

Przy kurniku spory koszyk ustawiono dla kokoszy, pełen jajek, z każdej strony miękką słomą wymoszczony. Niby gładko, ale przecież coś kokoszkę z boku gniecie. Wstaje kwoczka, pióra stroszy, gdacze, patrzy na swój koszyk i przy brzegu, pośród słomy, widzi przedmiot nieznajomy.

— A to co to, a to co to? Wiedzieć chciałabym z ochotą!

Biegły właśnie dwa szczeniaki, dwa jamniki łobuziaki. Że przy ludziach dużo siedzą, sporo widzą, sporo wiedzą. Popatrzyły, zaszczekały:

— Smoczek, smoczek, smoczek mały!

Słyszał wszystko Elemelek. Wszędobylski ten wróbelek przybył dziś w nieznane strony do gąski zaprzyjaźnionej. Po obfitym jest obiedzie, na kurniku teraz siedzi i przygląda się ciekawie tej niezwykłej kurzej sprawie.

— Mały smoczek? Ładne rzeczy! Wnet urośnie,

któż zaprzeczy? Gdy się stanie dużym smokiem, połknie jajka, pożre kwokę i znajomą moją gąskę spałaszuje na przekąskę. A któż, mówiąc między nami, lepiej walczy ze smokami niż ja, wróbel?

I z wysoka skoczył na dół. Widzi kwoka ze zdumieniem, z oburzeniem, jak piskliwe to stworzenie szasta się po jej koszyku, sporo przy tym robiąc krzyku.

— Smoczy język, tak, różowy! I czerwony kawał głowy, czyli raczej smoczej paszczy! Smok zapewne się rozpłaszczył pod tą słomą. Jeszcze mały, lecz ma jęzor okazały. Cóż mi takie tam smoczęta? Z większym starłem się, pamiętam!

Elemelek zamknął oczy, dziobnął mocno w język smoczy i choć strach go w kleszcze chwyta, dziobie dalej, nic nie pyta, aż skorupka jedna, druga pękła. Cieknie żółta smuga, może smocza krew? Tym lepiej! Ptak skrzydłami wokół trzepie, puch, pach! Kwoczka, osłupiała, z odrętwienia się wyrwała i wrzasnęła:

— Rozbójniku! Jaj natłukłeś mi bez liku! Aby inne wysiadywać, w jajecznicy muszę pływać. Huzia! Zmykaj, gdzie pieprz rośnie!

Elemelek pisnął głośniej, bo dziób kury rozsierdzonej w grzbiet go stuknął i w ogonek. Więc wróbelek skrzydła pręży i wyrwawszy smoczy język, nad altankę szybko leci.

Zobaczyły zaraz dzieci, że żółtawy jakiś ptaszek niezbyt zgrabnie spadł na daszek i podskoków zrobił parę.

— Patrzcie, uciekł nam kanarek! A cóż to mu z dziobka wisi? Chyba smoczek małej Krysi?

Przy altance jest drabina.

— Chodźcie, ja się pierwszy wspinam. Trzeba złapać go koniecznie, tu dla niego niebezpiecznie.

Prawda, prawda! Bo tymczasem nadleciały już z hałasem wróble, sroka, nawet wrony i na różne krzyczą tony:

— Ho, ho, żółtek! Chory może na żółtaczkę, nie daj Boże? Oddaj to, co w dziobie niesiesz! Ktoś ty taki? Wynoszę się!

Sroka, znany złodziejaszek, zbadać chce, co przyniósł ptaszek: o wróbelka się oparła, lewe skrzydło mu otarła. Elemelek prędko wzleciał i przycupnął tuż przy dzieciach, które właśnie znad drabiny ukazały swe czupryny.

Patrzą dzieci: dobre sobie! Ptaszek, ten ze smoczkiem w dziobie, ten, zdawało się, kanarek, piórka bure ma i szare z lewej strony. Prawa strona pięknie za to przyżółcona. Może jakieś skrzyżowanie dwóch gatunków?

— To mieszaniec! To nie nasz Kacperek miły!

Elemelek zebrał siły, umknął dzieciom, umknął ptakom, poszybował wprost ku krzakom, gdzie się wreszcie pozbył lęku. Zatknął zdobycz swą na sęku, przyjrzał jej się, spuścił oczy, westchnął:

— To nie język smoczy. Choć różowy, wydłużony, lecz na kółku jest czerwonym. Wygłupiłem się, niestety... Zbiłem jajek pięć, o rety! Eh, nie trzeba być ciekawym i pchać dzioba w cudze sprawy!

*

Skąd się smoczek małej Krysi w koszu wziął, nie wiem do dzisiaj. Czy przyniosły go szczeniaki, czy po prostu traf to taki?

Miał wróbelek dosyć długo prawe skrzydło z żółtą smugą. Ten i ów z tej okolicy mruknął:

— Wróbel w jajecznicy!

Jak to nikt przy egzaminie byle czym się nie wywinie

Nie ćwierkanie, nie zabawy, w głowie dziś poważne sprawy! Młodym ptaszkom zrzedły miny, bo za pasem — egzaminy. Chociaż pilnie sezon cały na naukę uczęszczały, dziś niektórym cierpnie skóra: jak wypadnie ich cenzura?

Przełożona, pani sowa, nie za bardzo jest surowa.

By pochwalić się uczniami, zaprosiła na egzamin star-
sze ptaki z barwnym piórkiem, płowe myszy i wiewiórkę. Przyszły także dwa zające. Bo egzamin jest na łące,
pośród krzewów. Polna grusza gałązkami lekko rusza.

    Elemelek na ostatku odpowiada. Dosyć gładko czy-
ta, pisze — wcale, wcale! Język wróbli zna wspaniale,
więc pomylić się nie może. Z rachunkami poszło gorzej
i popełnił małe grzeszki, kiedy dodać miał orzeszki.
Ale za to popis śliczny w wychowaniu dał fizycznym:
różne skoki i fruwanie, skrzydełkami trzepotanie, kąpiel
w piasku i tak dalej... Wszyscy zgodnie mu klaskali.

    Teraz jeszcze obcy język. Kto w przedmiocie tym
zwycięży? Sikoreczki po kosiemu, kosy znów po droz-
dowemu śpiewać mają wierszyk mały. Młode sójki zaś

wybrały gołąbkowy głos: gruchanie, choć niełatwe to zadanie.

A wróbelek? Mówiąc szczerze tremę ma, aż litość bierze. Bo powiedział przed miesiącem, że głosiki te gwiżdżące, te drozdowe albo kosie, on ma, z przeprosieniem, w nosie.

— Gdy studiować, to już czysty skowronkowy trel srebrzysty. Dla zdolnego bowiem ptaszka obcy język — to igraszka!

Tak się chwalił Elemelek. Czy pracował? No, niewiele... Słuchał raz o wschodzie słonka, jak się srebrzy śpiew skowronka, i od razu zmienił zamiar.

— To okropnie trudna gama! Ćwiczyć trzeba w pocie czoła. Czyż nie lepiej jest dzięcioła naśladować, który w lesie kuje, aż się echo niesie? Stuknę dziobem w pień gruszkowy — i egzamin mam już z głowy!

Postanowił więc, że woli dźwięków uczyć się dzięciolich. Sowy wcale się nie pytał, zdecydował sam — i kwita. Ale dziś, przed egzaminem, niewyraźną coś ma minę: może mu zarzuci sowa, że języków nie studiował?...

— No, wróbelku — sowa powie — twoja kolej! Teraz dowiedź, jakie twej nauki skutki. Zanuć srebrne dwie, trzy nutki skowronkowe.

Elemelek poczuł ciarki w całym ciele. Dziób otworzył. Niesłychanie zdziwił wszystkich, bo gęganie się rozległo tak udane, jak przez gąskę zagęgane.

Elemelek na swym sęku stoi sztywno, pełen lęku, nastroszony i zdziwiony. Dziobek trzyma rozdziawiony i rozdziawia coraz szerzej, bo wprost uszom nie chce wierzyć: mógłby niemal sam przysięgać, że on, wróbel, gęgęgęga...

Sowa wkłada okulary i powtarza:

— Nie do wiary! Umiesz gęgać? Z taką wprawą? Elemelku, szóstka, brawo!

— Brawo! — klaszczą też słuchacze.

A wtem się poruszył krzaczek i gdy szmer pochwalny ustał, wyszła z krzaka gąska tłusta, wesolutka, młoda, biała i GĘ-GĘ-GĘ zagęgała.

— Więc nie wróbel! Więc to ona! Sprawa teraz wyjaśniona!

Elemelek, to rzecz pewna, z szóstką musiał się pożegnać. Sowa nic się nie gniewała, lecz ocenę niską dała: język obcy — trójka minus.

A od pały się wywinął, bo nie gorzej od dzięcioła pień ostukał dookoła.

ŚWIADECTWO SZKOLNE
Wróbelka Elemelka

Czytanie i pisanie	6
Rachunki	5
Język wróbli	6+
Język obcy	3-
Przyroda	6
Fruwanie	6+
Skoki w dal	6
Skoki w górę	6
Kąpiel w piasku	6+
Sprawowanie	6-

Profesor:
Sowa

Elemelek w naszyjniku: trochę strachu, dużo krzyku

Siadł wróbelek Elemelek dość wygodnie na kościele i spogląda, jak dziewczęta wystroiły się od święta: tutaj pasiak, tam serdaczek, chustka krasna niby maczek i widoczny już z oddali kolorowy pęk korali.

Coś to słowo przypomina... Pęk korali? Jarzębina! Ptaszek skrzydła swe rozwinął i już jest pod jarzębiną.

Od korali się ugina urodziwa jarzębina! Dzieci tu niedawno były, jej kulkami się bawiły, koralików szereg cały na niteczkę nanizały. Któryś z takich naszyjników leży jeszcze na trawniku, rozwleczony z jednej strony, lecz dla wróbla — wymarzony!

Ruda panna w lekkich skokach nadbiegała gdzieś z wysoka.

— Rudziu! Spadasz jakby z nieba! Bo dwóch łapek zwinnych trzeba, by na szyi mi związały ten naszyjnik okazały.

Zakrzątnęła się wiewiórka i na szarych wróblich piórkach koraliki wiąże zgrabnie. A czerwienią się powabnie! Tak powabnie, że dwie żabki zachwycone klaszczą w łapki, a z zazdrości pewna mała jaszczureczka zzieleniała...

W Elemelku duma wzbiera.

— Gdyby się tak przejrzeć teraz? Gdyby spojrzeć w jasną wodę i ocenić swą urodę?

Oto woda. Można zerkać w gładką toń, jak do lusterka. Rybak odszedł stąd na krótko, sterczy wędka tuż za łódką. Gdy niebawem rybak wróci, znowu wędkę w wodę rzuci.

Elemelek brzegiem łodzi w jedną, w drugą stronę

chodzi, szyjką kręci i co chwila w stronę wody się nachyla, podziwiając kształt swej głowy w koralikach kolorowych.

— Pysznie, fajnie, znakomicie! Będę teraz całe życie stroił szyję w te śliczności, żeby każdy mi zazdrościł.

Koniec wędki leży blisko. Cóż to znowu za zjawisko? Jakiś robak? Czy on żywy? Podrobiony czy prawdziwy? Elemelek bada sprawę, zbliża oko lewe, prawe, głowę schyla, dziobem maca...

A już stary rybak wraca.

Chwycił wędkę zręcznie, prędko i zamachnął się tą wędką, lecz spojrzawszy, aż podskoczył, mówiąc:

— Czy mnie zwodzą oczy? Wróbel mi na wędce lata? Michaś! Tyś mi figla spłatał!

Biegnie Michaś.

— A to draka! Dziadzio w wodzie złowił ptaka!

Ej, nie figiel, nie żart wcale! Zaczepiły się korale o

ten haczyk, ten zdradliwy! Elemelek nieszczęśliwy czuje, jak mu gardło ściska kulka twarda, gładka, śliska, cienką nitką przewleczona...

— Oj, umieram, ach, ach, konam! Przez korale te czerwone zaraz ducha... cirrr... wyzionę!

Stary rybak i Michałek chcą stworzonko chwycić małe, by uwolnić je od wędki. Ale ptaszek skrzydłem prędkim wciąż wymyka im się z ręki, pod niebiosa wznosząc jęki:

— Ja na wędce?! Przecież chyba jestem wróbel, a nie ryba... Rety, rety, jak mnie ściska! Przyszła kryska na Matyska.

No i wreszcie, w samą porę, pękła nitka pod naporem, rozsypały się korale, Elemelek runął w fale, zawirował i dał nurka, skąpał sobie wszystkie piórka... Ale w górę go uniosła para skrzydeł niby wiosła, bo skrzydełka, choć niewielkie, opiekują się wróbelkiem.

Przemoczony, nastroszony, siadł na brzegu, rzekł do wrony:

— Gdyby nie te wróble skrzydła, zdławiłyby mnie świecidła. A i bez nich, przyzna pani, nikt urody mi nie zgani...

Jak nieduży tranzystorek Elemelka ostrzegł w porę

Choć to nie do wiary prawie, radio ktoś zostawił w trawie, w trawie gęstej i wysokiej: ledwie że je dojrzysz okiem. Szary kicuś zwany Brzdączkiem, który zwykłym jest zajączkiem, łapką miękką i nieśmiałą trącił radio — i zagrało. Melodyjka płynie cicha, lecz gdy zbliżysz się, to słychać.

Że dnia tego wypadały imieniny myszki małej, więc wiewiórki zawołały:

— Mamy powód doskonały, by pobawić się na łące, skoro jest bezpłatny koncert. Urządzimy wśród dąbrowy bal maskowo-kostiumowy!

Przyklasnęli wszyscy zgodnie:

— Tańczyć będzie tu wygodnie. Niech się każde leśne zwierzę jak potrafi, tak przebierze!

Myszka Kiki, elegantka (właśnie ta solenizantka), wyprosiła u wiewiórki kawałeczki rudej skórki, aby kubrak z kitką rudą uszyć sobie: istne cudo! Z liści żółtych i czerwonych peleryna jest dla wrony; zręcznie robią wiewióreczki wianki z kwiatów i maseczki. Szary kicuś zwany Brzdączkiem, co, jak wiecie, jest zajączkiem, wdziewa zgrabny kołpak z szyszki. Pięć kuzynek Kiki--myszki w klipsy stroi się z kaliny na kuzynki imieniny. Zaś jeżowa jak na szpilkach siedzi, bo już godzin kilka na swych kolcach dzierga z trawy płaszczyk lekki, zielonawy, dla małżonka swego, jeża, i co chwila strój przymierza: zdąży na czas czy nie zdąży?

Elemelek wokół krąży, bo dowiedział się od wrony o zabawie zamierzonej. Więc pytają leśne ptaki:

— Elemelku, a ty jaki strój przywdziejesz? Maskarada! Jakiś kostium mieć wypada!

Spojrzał wróbel: mały, świeży muchomorek blisko leży. Ktoś mu czapkę strącił z nóżki, spadła czapka koło dróżki. I jakby na zamówienie pod czapeczką jest wgłębienie w sam raz dla wróblowej głowy. A wierzch piękny, kolorowy i twarzowy, w modny wzorek...

— Mam strój! Będę muchomorem!

— Pysznie! Pomysł doskonały! — tak zwierzęta zawołały.

Ale w tańcu kapelusik tkwić na głowie mocno musi. Ptaszek przysiadł więc przy dębie, by wyżłobić czapkę głębiej. Zbliżył dziób do muchomora...

Wtem głos płynie z tranzystora:

„Ostrzegamy przed grzybami. Teraz dużo ich jadamy, bo grzybowa przyszła pora. Więc się strzeżcie muchomora i trujących grzybów innych. Chociaż wygląd ich niewinny, ale wszyscy wiedzą chyba, że jad straszny jest w tych grzybach. Niech spokojnie rosną sobie, naszym lasom ku ozdobie, lecz nie zrywać, nie dotykać, bo nieszczęście stąd wynika!"

— Aj, do licha! Prawda, racja! Ależ to kompromitacja! Znam las, bywam tutaj nieraz, a trujące grzyby zbieram?!

Elemelek w tył odskoczył, kapelusik się potoczył, pośród gęstych ziół się schował.

— Czapka ci potrzebna nowa — rzekła Kiki.

Na to szpaczek:

— Spojrzyj, rośnie tam koźlaczek. Ma on czapkę krągłą, zdrową, gładką i pomarańczową.

Chciał wróbelek z myszką Kiki tańczyć w czapce w takt muzyki, ale radio grać przestało, bateryjkę wyczerpało. Nikt już tego nie żałował: zaszumiała znów dąbrowa, zadźwięczały trele ptaków, świerszczyk im wtórował w krzaku, leśne echo, to zielone, niosło dźwięki rozproszone... Każdy zgodny był, zdaje się, że najmilszy koncert w lesie bywa wtedy, gdy się słyszy śliczne głosy leśnej ciszy.

Elemelek
mąkę miele

Ma wróbelek Elemelek w okolicy krewnych wiele. Przyszedł kuzyn Wiercipięcik raz w sobotę i zachęcił, aby się do młyna udać. Opowiadał istne cuda o tym, jak się ziarno miele. Więc usłuchał Elemelek i pod pachę wziął kuzyna, by wyruszyć w stronę młyna.

Po godzinie są już w młynie. Mile w młynie życie płynie! Tu coś stuka, tam coś zgrzyta, trzęsą się rytmicznie sita, zajmujące są szalenie także młyńskie dwa kamienie lub naczynie aż po wręby wypełnione przez otręby.

Gdy podsuniesz się pod wialnię, to z tej wialni, naturalnie, pryśnie ziarnko razem z plewą, a ty chapsniesz je na lewo. Jeśli zwiedzić chcesz kaszarnię, także się coś z ziemi zgarnie. A czasami, gdy pan młynarz rozwiązywać wór zaczyna, spadnie krągłych ziaren tuzin prościuteńko do twej buzi, czyli raczej wprost do dzioba.

— Ach, jak mi się to podoba! — Elemelek rzekł radośnie. — Tu po prostu serce rośnie! Będę zapas miał w żołądku chyba do przyszłego piątku.

Stracił miarę Elemelek: ON tu pan, ON mąkę miele! Przestał bać się, krąży w koło, ćwierka głośno i wesoło, skrzydłem trzepie w mącznym pyle, szarogęsi się, i tyle! A kuzynek Wiercipięcik koło niego wciąż się kręci i podnoszą taki hałas, że...

...okropna rzecz się stała: czarny kot otworzył oczy, przerwał drzemkę, wstał — i skoczył.

Jejku, jejku, trzeba zmykać, pędem frunąć do lufcika! Wylatują ptaszki szybko, kot już także jest za szybką. Gdzie się schować przed niecnotą? Wór przy młynie stoi oto, nie związany sznurem jeszcze.

„Chyba się w tym worku zmieszczę, przed kocurem się ukryję?" — myśli wróblik. Skrzydłem bije i do wora szybko wpada, a kot za nim. Uch, szkarada!

W worze się zakotłowało, zakłębiło chmurką białą. Elemelek na swej skórze poczuł pazur przy pazurze, więc się wyrwał ostro w górę, zatrzepotał szarym piórem...

Szarym? Co też to się dzieje? Wróbel wcale szary nie jest! Biały teraz ma ogonek, skrzydła także wybielone, białą szyję, biały brzuszek i na głowie biały puszek. A w tym brzuszku ziaren wiele dźwigać musi Elemelek; tak solidne zjadł śniadanie, że brak sił na uciekanie! Ledwo, ledwo na dach dotarł... Na drabinie widać kota! Wróbel słaniać się zaczyna... Wtem usłyszał głos kuzyna:

— Elemelku, hej, umykaj! Podfruń tu, do gołębnika!

Dobra rada, mądra rada! Wśród gołębi wróbel siada. One patrzą ze zdziwieniem na dziwaczne to stworzenie, ćwierkające, dosyć małe, a jak gołąb — białe całe.

— Poratujcie mnie, gołębie, i ukryjcie jak najgłębiej, bo mnie czarny kot dopadnie!...

— Czarny? Przyjrzyj się dokładniej!

Elemelek, jeszcze w strachu, już rozgląda się po dachu. Rety! Jakże to się stało? Kot ma sierść zupełnie białą...

Tak to kąpiel w mące miałkiej wygląd może zmienić całkiem.

Elemelek w gołębniku siedzi przy Wiercipięciku i gołąbkom miłym, młodym opowiada swe przygody. A kot wygiął grzbiet bielony, po czym poszedł w inne strony, mrucząc:

— Wróbla tu ścigałem czy gołębie pisklę białe?...

Wieść stugębna teraz płynie, jak to w młynie raz w sobotę skakał sobie po drabinie biały wróbel z białym kotem.

Czy łatwo być bramkarzem, to zaraz się okaże

Jak wiadomo, dla wróbelka sporty to przyjemność wielka, zwłaszcza skoki w dal, fruwanie i na muchy polowanie.

— W modzie teraz piłka nożna, też by jej spróbować można, bo z kuzynów i kuzynek łatwo stworzyłbym drużynę. Niedaleko się tu kręci miły kuzyn Wiercipięcik, jest i wujek Stroszypiórek w towarzystwie kilku córek. Także stryjek Hulajdusza raźnie się potrafi ruszać. Ja zostanę ich bramkarzem i wzorową grę pokażę.

W krótkim czasie jest gotowa jedenastka wróbelkowa, nie najgorzej nawet zgrana i okropnie rozkrzyczana. Lecz partnerów trzeba. Właśnie! Skąd wziąć ptaków jedenaście?

Dzielny stryjek Hulajdusza w stronę lasu już wyrusza. Lata, szuka, puka w korę, aż zwerbował sześć sikorek. Również i dzięcioły młode wyraziły swoją zgodę.

Wiewióreczka będzie sędzią i pomaga ptakom z chęcią. Z giętkich witek robi z wprawą zgrabne bramki, wiąże trawą, i gotowe jest boisko.

No, a piłka? Leży blisko. Ten zielony kasztan mały będzie przecież doskonały!

Elemelek w bramce swojej w pogotowiu pełnym stoi.

— Chcecie zdobyć bramkę? Hola! Nie pozwolę strzelić gola!

Sędzia gwiżdże w pusty orzech, każdy z ptaków gra, jak może: kopnie nogą, trąci dziobem, popchnie brzuszkiem... Tym sposobem piłka się dość żwawo toczy. Napastnicy są ochoczy, ale także i obrona całkiem nieźle wyćwiczona.

Sikoreczki dwie z dzięciołem przypuściły atak spo-
łem, lecz je stryjek Hulajdusza do odwrotu szybko
zmusza. W chwilę potem atak nowy: dzięcioł skrzydłem kolorowym trzepnął piłkę z taką siłą, aż się w
koło zakłębiło. Bo łupinka od kasztana pękła, na pół
przełamana, kasztan musnął nos wiewiórki, a połowa
krągłej skórki siedzi w bramce, szczerze powiem, na...
Elemelkowej głowie.

Więc sikorki i dzięcioły wznoszą wkoło wrzask wesoły:

— Piłka w bramce! Jest gol! Hura!

— Jaka piłka? Tylko skóra! — któryś wróbel cienko
wrzaśnie.

— Skóra to część piłki właśnie. Teraz jasne jest dopiero, kto silniejszy: jeden-zero! W skórę wzięłyście,
wróbelki!

Wróble czynią rejwach wielki. Wiercipięcik głową
kręci, Hulajdusza się obrusza, jedna córka Stroszypiór-
ka łzę ociera, druga mdleje...

A co się z bramkarzem dzieje?

W głębi bramki, nastroszony, siedzi w czapie swej
zielonej, nieruchomy, oniemiały, zaskoczony, drżący
cały. Grać wzorowo obiecywał, a tu — piłka go przy-
krywa! Gdy CZĘŚĆ piłki w bramkę wpadła, bramka
padła czy nie padła?

Rudy sędzia gwizdnął w orzech, myślał, myślał i tak
orzekł:

— Przede wszystkim — błąd to duży! — dzięcioł
skrzydłem się posłużył, czego robić tu nie można, bo to
przecież piłka nożna. Piłka w bramce jest częściowo,
lecz ją bramkarz złapał głową, a czymkolwiek by ją
złapał, skoro złapał, nie jest gapa: odbił atak i w po-

trzebie ciężar piłki wziął na siebie. Więc dzięcioły i sikory nie wygrały do tej pory. Mecz zaczyna się dopiero. Wynik nadal: zero-zero.

Elemelek zrzucił czapkę i o łapkę potarł łapkę.

— Wiewióreczko, sędzio miły! Znowu siły mi wróciły. Zdobyć bramki nie pozwolę. Teraz MY strzelimy gole! Oto rusza wróbli atak. Zwyciężymy? A tak, a tak! Cirrr!

Jak wróbelek, niezbyt długo, może czasem być papugą

Balia przy otwartym oknie, stos firanek w balii moknie. Praczka, pani Kazimiera, żwawo do nich się zabiera. Elemelek, jak to wiecie, lubi siąść na parapecie, lubi zajrzeć też do środka i przygodę małą spotkać.

— Dawno się już nie kąpałem. Warto by dziś, w poniedziałek, umyć sobie to i owo. Będzie miło, czysto, zdrowo!

Właśnie praczkę, panią Kazię, odwołano stąd na razie. Elemelek patrzy z bliska, skacze w balię. Woda pryska, ptaszek pluszcze się jak w wannie, potem suszy się starannie. Lecz mu piórka sterczą dziwnie, stroszą się, zaczęły sztywnieć... Bo wróbelek nie wie wcale, że usztywnił się — krochmalem!

W Elemelku chętka wzbiera w piasku się wykąpać teraz; skrzydła by się uwolniły od sztywności niezbyt miłej, a w ogóle kąpiel w piasku to jest frajda dla wróblasków!

Stoi miska czy talerzyk, w tej miseczce piasek leży, piasek czeka już gotowy i w dodatku szafirowy!

— Zdarzyć się nie może lepiej! Wszystkie pióra w nim wytrzepię! Niebieskiego piasku przecież tak znów łatwo nie znajdziecie!

I już wróbel bez wahania skacze... w farbkę, tę do prania.

Wraca pani Kazimiera. Przeciąg; okno się otwiera, a że chłodno dziś na dworze, lepiej okno zamknąć może? I zamknęła. Sprawa prosta. Tylko...

— Jak się stąd wydostać? Jestem teraz uwięziony! Kręcę się na wszystkie strony, lecz na oknie miejsca skąpo. Wpadłem, ach, jak śliwka w kompot!

A nad balią sporo pary, mgłą zachodzą okulary. Spojrzy praczka: no tak, tak! Koło szyby skacze ptak na niepewnych, sztywnych nóżkach. Ptak niebieski! To papużka, miły ptaszek Małgorzatki albo Jasia. Pewnie z klatki im się wymknął.

Szybkim ruchem ściąga fartuch i z fartuchem goni ptaka. Nie ma żartów! Przykrył wróbla wielki fartuch, Kazimiery fartuch w kratki. Ona idzie w stronę klatki, wpuszcza ptaszka i zawraca, bowiem czeka na nią praca.

Nie spostrzega, nie rachuje, że nic w klatce nie brakuje; że papużki modre obie siedzą grzecznie tuż przy sobie, bo już taki zwyczaj mają, że ogromnie się kochają.

— Żonko droga, przetrzyj oczy: dobrze widzę? Ptak tu wskoczył?

— Tak, mężulku mój serdeczny. Wtargnął do nas. Pfuj! Niegrzeczny!

— Też niebieski, lecz zbyt ciemny. Szafirowy. Nieprzyjemny.

— To nie kuzyn, nie ma mowy!

— Ty! Umykaj, pókiś zdrowy!

Tak to skrzeczą dwie papużki. A pod wróblem gną się nóżki, bo dwa dzioby zakrzywione groźnie suną w jego stronę. Trzęsie się od krzyków klatka.

Wbiega Jaś.

— Patrz, Małgorzatka, nowy ptak do klatki wleciał! Chyba to papużka trzecia?

— Ależ, Jasiu, co ty pleciesz! To papużka? Nigdy w świecie. Mnie się zdaje, że wróbelek. Kto wie? Może Elemelek?

— Elemelek? Jak to? Wróbel — z tym sterczącym, sztywnym czubem? Z niebieskimi skrzydełkami?

— On się chyba czymś poplamił, czymś umazał sobie pióra...

— To dopiero awantura! I co teraz z nim zrobimy?

— Naturalnie, wypuścimy. Spójrz, jak się trzepo-

cze, skacze! Wystraszony jest biedaczek, pewnie prze-
ląkł się papużek. Nie wytrzymałby tu dłużej.

— Wypucować go wypada!

— Deszcz za chwilę będzie padać, pióra mu obmyje
zaraz. Ale skąd on się tu znalazł?...

Elemelek skrzydła wznosi, podziękować chce Mał-
gosi, lecz tak bije mu serduszko, że jej tylko dygnął nó-
żką, łebkiem skinął też Jasiowi.

— Do widzenia! Bądźcie zdrowi!

Oto znów otwarte okno. Deszcz. Skrzydełka mokną,
mokną, płyną w dół niebieskie strugi, wróbel robi się z
papugi: niepozorny, szarobury, lecz wesoły. Lekkopió-
ry!

Ptaszek,
z torby wypuszczony,
śle życzenia w różne strony

Elemelek, jak to wiecie, ciągle kręci się po świecie.
Miesiąc na wsi spędził teraz, więc do miasta się wybie-
ra.

Wszędzie światła i choinki, w sklepach piękne upo-
minki, jakiś napis kolorowy... Bo to Święta! I Rok
Nowy!

Skacze wróbel po ulicach, aż tu nagle — nawałnica:
mroźny wiatr napędził chmury, tuman się zakłębił
bury, wielkie płaty lecą z nieba... Dokądś by się schronić trzeba!

Domek mały i czerwony jest do ściany przyczepiony.
Z boku wejście, nad nim daszek. Gdy przycupnie pod
nim ptaszek, to ten daszek go osłania od wilgoci i dmu-
chania.

— Co też tam być w środku może? Jeśli w szparę głowę włożę, to zobaczę wszystko z bliska.

Chociaż krawędź trochę śliska, Elemelek się przechylił i...

... i właśnie w owej chwili coś od tyłu go trąciło. Białe, sztywne — cóż to było? Elemelek w okamgnieniu wpadł ku swemu przerażeniu w straszną ciemność. Płachta jakaś obsunęła się na ptaka, a dziób ostry czy też rożek w bok go kłuje. Coraz gorzej!

— Chyba ja umarłem sobie i już leżę w ptasim grobie?

Śmiechy słychać dookoła.

— W ptasim grobie? — ktoś zawoła. — Skąd się wziąłeś? Co ty pleciesz? W zwykłej skrzynce siedzisz przecież.

— Więc to skrzynka jest pocztowa? Żem się też nie zorientował! Coś mnie kłuje? Oczywiście, bo tu leży list przy liście. I list wepchnął mnie do środka. To do-

piero los mnie spotkał! Ach, nie kłujcie choć przez chwilę! Ale skąd was jest aż tyle?

— Czyż, wróbelku, nie pamiętasz, że to Nowy Rok i Święta? Piszą ludzie tuzinami śliczne kartki z życzeniami: ja na sobie mam choinkę...

— A ja chłopca i dziewczynkę pod choinką.

— Ja zająca, który śnieg ze świerka strąca.

— Ja — jemioły bukiet cały.

— A ja — kolędników małych.

— Jakżebym was chciał zobaczyć! — wróbel rzekł. — Lecz co to znaczy? Domek trzęsie się w posadach? Dziura w skrzynce? Rety, spadam! Pewnie dziś trzęsienie ziemi. Ciemno, ciasno, duszno, źle mi! To więzienie — bieda nowa!

— Ej, nie! Torba to pocztowa — szepczą listy. — Skrzydłem nie trzep, znajdziesz jeszcze tu powietrze. Zaraz się ścieśnimy w rzędzie i dla ptaszka miejsce będzie.

Szczęściem poczta była blisko, więc niedługo trwało wszystko. Już opróżnia pan listonosz torbę szczelnie wypełnioną: wysypuje listy, karty... Pośród listów — chyba żarty? — wróbel mały, szary, żywy, zmiętoszony, lecz prawdziwy! A na piórkach, blisko głowy, barwny znaczek ma pocztowy; czy od listu się odlepił, czy umyślnie ktoś przyczepił?

Urzędniczka jedna, druga ze zdziwieniem rzęsą mruga.

— Ptaka pocztą się nadaje? Nie, doprawdy, coś jak z bajek. I prawdziwy na nim znaczek!

Wróblik cieszy się i skacze:

— Jak to dobrze, ludzie mili, żeście mnie wyswobodzili! Chyba głos mój rozumiecie, bo wyraźnie ćwier-

kam przecież, że ja także, jak te listy, dziś życzenia
składam wszystkim. Chciałbym, żeby w roku nowym
każdy wesół był i zdrowy. Chciałbym też, by poczta
cała wszystkim dzieciom rozesłała aż na cztery świata
strony pozdrowienia i ukłony od wróbelków. Niech
wieść leci, że wróbelek lubi dzieci i usłyszałby z radoś-
cią, że je lubi — z wzajemnością...

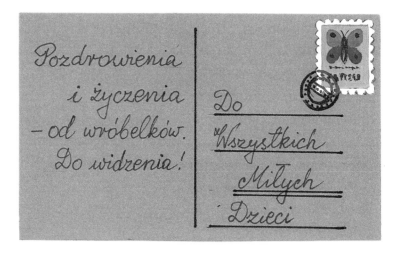

Pozdrowienia
i życzenia
— od wróbelków.
Do widzenia!

Do
Wszystkich
Miłych
Dzieci

Spis treści

O wróbelku Elemelku

Wróbelek Elemelek
i jego przyjaciele

Psoty i kłopoty
wróbelka Elemelka

Wydawnictwo NASZA KSIĘGARNIA Sp. z o.o.
02-868 Warszawa, ul. Sarabandy 24c
tel. 022 643 93 89, 022 331 91 49
faks 022 643 70 28
e-mail: naszaksiegarnia@nk.com.pl

Dział Handlowy
tel. 022 331 91 55, tel./faks 022 643 64 42
Sprzedaż wysyłkowa
tel. 022 641 56 32
e-mail: sklep.wysylkowy@nk.com.pl   **www.nk.com.pl**

Redaktor wydania **Małgorzata Grudnik-Zwolińska**
Redaktor techniczny **Elżbieta Opończewska**

ISBN 978-83-10-11462-4

PRINTED IN POLAND

Wydawnictwo „Nasza Księgarnia", Warszawa 2007 r.
Druk z gotowych diapozytywów wykonała
Drukarnia Wydawnicza im. W.L. Anczyca S.A. w Krakowie